TYLWYTH

I Hywel,
am bopeth

TYLWYTH

DAF JAMES

LLWYTH: YR AIL ACT

Argraffiad cyntaf: 2020
© Hawlfraint Daf James a'r Lolfa Cyf., 2020

*Mae hawlfraint ar gynnwys y llyfr hwn ac mae'n
anghyfreithlon llungopïo neu atgynhyrchu unrhyw ran ohono
trwy unrhyw ddull ac at unrhyw bwrpas (ar wahân i adolygu) heb
gytundeb ysgrifenedig y cyhoeddwyr ymlaen llaw*

Llun y clawr: Burning Red
Dyluniad y teitl: Kelly King Design

Rhif Llyfr Rhyngwladol: 978 1 78461 879 7

Dymuna'r cyhoeddwyr gydnabod cymorth ariannol
Cyngor Llyfrau Cymru

Cyhoeddwyd ac argraffwyd yng Nghymru
ar bapur o goedwigoedd cynaliadwy gan
Y Lolfa Cyf., Talybont, Ceredigion SY24 5HE
e-bost ylolfa@ylolfa.com
gwefan www.ylolfa.com
ffôn 01970 832 304
ffacs 01970 832 782

Tylwyth

Cynhyrchiad Theatr Genedlaethol Cymru a Theatr y Sherman.

Cynhaliwyd y perfformiadau cyntaf erioed yn Theatr y Sherman, Caerdydd, 10-13 Mawrth 2020.

Cast
Rhys: Arwel Davies
Dada: Danny Grehan
Gareth: Michael Humphreys
Gavin: Aled ap Steffan
Dan: Martin Thomas
Aneurin: Simon Watts

Tîm Creadigol
Dramodydd: Daf James
Cyfarwyddwr: Arwel Gruffydd
Cynllunydd Set a Gwisgoedd: Tom Rogers
Cyfansoddwr, Cyfarwyddwr Cerdd a Threfniannau Cerddorol Gwreiddiol: Daf James
Cynllunydd Goleuo: Ceri James
Cynllunydd Sain: Sam Jones
Cyfarwyddwr Cynorthwyol: Elen Mair Thomas
Cyfarwyddwr Corfforol: Eddie Ladd
Cyfarwyddwr Llais: Nia Lynn
Cynhyrchydd Cerddorol: James Clarke

Corau
Côr ABC, Côr Aelwyd JMJ, Côr Corlan, Côr CF1, Côr y Pentan, Côr Seingar

Diolchiadau

Robat Arwyn, Mared Bryn, Karen Cameron, Siân Crawford,
Iwan Davies, Andrew Gardiner, Dr Stephen Greer, Eilir Owen
Griffiths, Branwen Gwyn, Jeffrey Howard, Doug James, Siân
James, Caryl Parry Jones, Eden, Judith Jones, Neil Llewellyn-
Griffiths, Ann Llwyd, Elin Llwyd, Delyth Medi, Gary Mullins
(Pixie Perez), Joe Murphy, Stef O'Driscoll, Rachel O'Riordan,
Nora Ostler, Gary Owen, Paul Morgans, Josh Price, Rhiannon
Pritchard, Gethin Scourfield, Ed Thomas, Derfel Williams,
Ffion Williams a Margaret Williams.

Diolch hefyd i bawb fu'n gysylltiedig â *Llwyth*, holl gorau'r
cynhyrchiad a'u harweinyddion, criw'r Lolfa, pawb yn Theatr
y Sherman, pawb yn Theatr Genedlaethol Cymru, yr actorion
a'r tîm creadigol, yn enwedig Arwel Gruffydd. Ac yn olaf,
gyda llwyth o gariad: Hywel a'r plant.

Yn Engyl ac yn Ddynion

Yn 2010, pan gynhyrchwyd fy nrama lwyfan gyntaf – *Llwyth* – newidiodd fy myd. Roedd y ddrama'n archwilio'r tensiynau hynny rhwng yr hunaniaeth hoyw a'r hunaniaeth Gymraeg. Roedd hi'n gwreiddio'r profiad hoyw ym mytholeg a diwylliant y Cymry: *Y Gododdin*, Iolo Morganwg, ein caneuon pop cyfoes, ein hemynau, a beirdd mawr yr Ugeinfed Ganrif. Roedd hi'n datgan yn falch bod 'Cymraeg yn *queer*'; o *pomp* a champrwydd yr Orsedd i Margaret Williams! Gyda hyn, roedd y ddrama'n dyrchafu'r hyn sydd gennym yn gyffredin, uwchlaw ein gwahaniaethau. Roedd hi'n dathlu bod yr iaith Gymraeg, fel yr hunaniaeth hoyw, yn ddiwylliant lleiafrifol, a bod gennym ni lot fawr i'w ddathlu – fel siaradwyr Cymraeg ac fel pobl hoyw.

Ar y pryd, roedd hi'n teimlo'n beryglus. Sgwennes i'r ddrama fel ymateb i'r bwlch truenus ro'n i'n ei weld yn y diwylliant Cymreig. Cyn hynny, nid oeddwn wir wedi gweld fy mhrofiad fel Cymro Cymraeg hoyw wedi'i adlewyrchu ar y llwyfan nac ar y teledu. Ond gan bod y profiad hwnnw'n rhywbeth mor neilltuol, ro'n i'n meddwl efallai mai cyfyng fyddai'r apêl a bychan fyddai cyrhaeddiad y ddrama. Ond rhaid i artist fentro; rhaid bod yn driw i'w hunan.

Ddychmyges i fyth y byddai'r ddrama'n cael y derbyniad a gafodd. Nid yn unig yng Nghymru, ond tu hwnt, yn Llundain, Caeredin a Thaiwan. Roedd hi'n uchafbwynt gyrfa ac yn uchafbwynt personol. Roedd gweld fy rhieni ar eu traed yn cymeradwyo drama am gymeriadau hoyw mewn cynulleidfa o'u cyfoedion yn drawsnewidiol a theimladwy ofnadwy. Dwi'n dal yn hynod ddiolchgar am y profiad hwnnw. Roedd byd gormesol fy mebyd wedi newid er gwell.

Ac oddi ar hynny mae'r byd hwnnw wedi parhau i droi. Erbyn 2014, roedd cyplau hoyw yn medru priodi'n gyfreithlon am y tro cyntaf; 2016, bu'n bosib i mi a fy mhartner Hywel fabwysiadu dau fachgen bach; 2019, dyma fi a Hywel yn dyweddïo; 2020, ry'm ni newydd gael ein cymeradwyo i fabwysiadu merch fach. Mae'r *llwyth* yn tyfu! Ond mae'r byd hefyd wedi newid er gwaeth. Mae lleisiau a rhagfarnau'r dde ar gynnydd, yn arbennig wedi i Trump ddod yn Arlywydd yn yr Unol Daleithiau, ac wedi i'r Deyrnas Unedig, ac i Gymru, bleidleisio i adael yr Undeb Ewropeaidd.

Dair blynedd yn ôl, roedd popeth fel petai'n newid ar raddfa frawychus, a minnau newydd ddod yn rhiant a oedd yn stryglan i gadw'i ben uwchben y llif. Pa fath o fyd fyddai fy mhlant yn ei etifeddu? Yn ystod y cyfnod hwn, dyma fi'n digwydd bwrw mewn i Arwel, Cyfarwyddwr *Llwyth* a Chyfarwyddwr Artistig Theatr Genedlaethol Cymru, yng Nghanolfan Chapter. Dechreuais barablu fel dyn gwallgof. Roedd y byd yn bendramwnwgl. Roedd popeth yn wahanol; fy mywyd personol, fy hunaniaeth hoyw, Cymru – y cyfan rhywsut a'i ben i waered, a doedd gen i ddim cliw pwy ro'n i rhagor. Ac wrth ddod i ddiwedd fy monolog gorffwyll dyma fi'n yngan y geiriau, 'Wel, ti'n gwbod beth? Mae 'na ddrama arall yma, yn does?' Unwaith i mi yngan y geiriau, amhosib oedd eu dwyn yn ôl.

Ond nefoedd wen, roedd gen i ofn! Ofn 'colli'. Pam mynd yn ôl? Roedd 'llwyddiant' y ddrama gyntaf honno fel petai'n pwyso'n drwm arnaf. Ond rwyf wedi dysgu yn y degawd diwethaf nad yw ofn yn rheswm i beidio mentro. A dweud y gwir, mae ofn yn aml yn rheswm *dros* fentro. *'Paid â bod ofn agor dy galon'*! Yn enwedig pan rydych ar dân ynghylch rhywbeth, â rhywbeth i'w ddweud; stori sy'n mynnu cael ei hadrodd. Roedd y tân dan Bair y Dadeni ynghyn!

Roedd sgwennu *Tylwyth* fel ymweld â hen ffrindiau. Roedd eu lleisiau mor glir ag erioed. A doedd dim rhyfedd, am fod y cymeriadau hynny, yn eu hanfod, wedi'u hysbrydoli gan fy ffrindiau personol innau (*ysbrydoliaeth*, nid *sail* i'r cymeriadau, rhaid ychwanegu!). Roedd Aneurin, Dada, Rhys, Gareth, Gavin... a Dan – cymeriad newydd allweddol sy'n dod â thafodiaith ogleddol i'r *pair* – yn mynnu cael eu clywed. Roedd yn brofiad annisgwyl, hynod; yn hytrach na 'mod i fel dramodydd yn rhoi'r geiriau iddynt, *nhw* oedd yn dweud wrtha i beth oedd eu hanes, eu pryderon a'r hyn yr oeddent am ei rannu efo'r byd. Rhaid oedd gwrando ar eu lleisiau tyner. Ac mor braf yw medru cael eu rhannu â chenhedlaeth newydd na welodd y ddrama gyntaf honno, yn ogystal â chyfoedion a hen gyfeillion.

Felly mae'r ddrama'n ailymweld â llwyth o ffrindiau, y *llwyth* hoyw a'r *llwyth* Cymraeg. Ond erbyn hyn – a'r *llwyth* wedi troi'n *dylwyth* – mae 'llwyth' personol Aneurin hefyd wedi dwysáu. Rhaid iddo archwilio'r hyn sydd wedi newid a'r tensiynau niferus sy'n codi yn sgil hynny – rhwng y *queer* a'r *heteronormative*, rhwng unigolyddiaeth a dyletswydd. Rhaid iddo dreiddio fwyfwy i'w bryderon neu ofnau personol, am ei fod, erbyn hyn, gydag ychydig mwy o aeddfedrwydd efallai, yn medru cloddio'n ddyfnach i'w isymwybod. Mae'n wynebu hen fwganod sy'n dal eu gafael arno. Mae Aneurin – fel ei ysbrydoliaeth, a bardd *Y Gododdin* gynt – yn croniclo'r datblygiadau a'r newidiadau sydd wedi digwydd i Gaerdydd, i Gymru ac i rai o'u *llwythau* cyfoes. Dyma gronicl, o bersbectif dyn hoyw Cymraeg, sy'n dal i esblygu; *'make way, make way for progress.'*

I'r sawl sy'n gyfarwydd â *Llwyth*, mi fydd yr ieithweddau theatraidd yn adnabyddus; yr iaith farddonol, yr iaith bob dydd, tafodieithau gwahanol, rithiau ffantasïol, y gerddoriaeth, a'r *mash-ups* diwylliannol. Mae'r ddrama yn ail ran i *Llwyth*, yn rhan o'r un cyfanwaith felly, ac yn parhau ar hyd y llwybrau a gychwynnwyd yn y ddrama gyntaf. Ond mae hi hefyd, gobeithio, yn sefyll ar ei thraed ei hun fel drama annibynnol. Mor braf yw cael aduniad gyda hen ffrindiau o ddeng mlynedd yn ôl, yn ogystal â chroesawu ffrindiau newydd. Bu Arwel, unwaith eto, yn gyd-grëwr anhygoel; yn arwain, yn annog, yn herio, yn gwthio, yn galluogi. Mae'r tîm creadigol a'r actorion mor frawychus o dalentog. Diolch i'r Duwiau amdanynt. A diolch yn ogystal i fy nhylwyth hynod innau – Hywel a'r plant – am fod yn engyl ar y Ddaear.

Er bod *Tylwyth* yn ddrama am ffrindiau, am fod yn hoyw, am fod yn Gymro, am ddosbarth, am wrywdod, am gywilydd, am fod yn blentyn, am fod yn rhiant, a'n dyletswydd cymdeithasol tuag at ein gilydd, yn bennaf oll, mae hi'n ddrama am gariad. Mae cymaint o gasineb yn cael ei fynegi yn ein gwleidyddiaeth, yn y papurau, ar y teledu ac ar y cyfryngau cymdeithasol, fel ei bod hi'n bwysicach nag erioed ein bod yn dathlu cariad yn ei holl ogoniant ac annibendod; ein bod ni'n parhau i ddatgan ein hanthemau cariadus. A does neb yn well na phlant i ddysgu i ni rinweddau, rhyfeddod a phŵer nerthol y cariad hwnnw.

Mae pobl hoyw, fel y Cymry, wedi hen arfer â 'cholli'. Fel milwyr *Y Gododdin* gynt, ry'm ni wedi ymladd brwydrau oedd yn teimlo'n anobeithiol, rhai nad oedd modd i'w hennill efallai. Rhwydd felly yw gweld ein hunain drwy brism a naratif y dioddefwr, gweld ein hunain fel rhai nad ydynt yn deilwng, nad ydynt yn haeddu cariad. Mor rhwydd yw credu'r naratif hwnnw; credu yn ein cywilydd. Mor rhwydd yw gwisgo amdanom arfwisg a luniwyd yn ffwrnes rhyw orffennol cythryblus a hyrddio'n hunain ymlaen, yn lle sefyll yn noeth a wynebu'r haul yn ei holl ogoniant.

Pa bynnag lwyth sy'n cynnig noddfa inni – boed y Cymry, y gymuned LGBTQ, neu unrhyw *lwyth* arall – medrwn gerdded yn eofn i'r dyfodol, er gwaethaf y brwydrau sydd i ddod. Rydym i gyd yn greaduriaid rhyfeddol, cymhleth, tywyll a gogoneddus. Rydym i gyd yn ymdrybaeddu mewn rhyw drythyllwch ac yn dawnsio gyda'r Duwiau; yn filwyr ac yn artistiaid. Ac mae cariad yn rym iachusol sy'n uno. Am ein bod ni i gyd yn engyl ac yn ddynion. A does 'na ddim cywilydd yn hynny.

Daf James, Chwefror 2020

Rhyfedd o Fyd

Ddeng mlynedd yn ôl, a minnau ar y pryd yn Gyfarwyddwr Cyswllt i gwmni Sherman Cymru, pan gefais y pleser eithriadol o gyfarwyddo drama Daf James, *Llwyth*, fe wyddwn, wrth i Daf a minnau drin a thrafod y ddrama, ac yna wrth ei rhoi ar ei thraed, ymhell cyn inni ei chyflwyno i'r byd, bod hon yn ddrama hynod. Roedd y ddau ohonom hefyd yn ymwybodol iawn o'r ffaith bod y ddrama'n adlewyrchu ein profiad ni, fel dynion hoyw Cymraeg ein hiaith, mewn modd nad oedd erioed wedi digwydd cyn hynny. Dyma'n stori neilltuol ni, o'r diwedd, ar lwyfan; unrhyw lwyfan! Roedd y stori honno'n dod o lygaid y ffynnon; ni ein hunain, yn Gymry Cymraeg hoyw, oedd yn cael ei dweud hi. Roedd hyn yn brofiad ysbrydoledig, dyrchafedig hyd yn oed. Roeddwn i hefyd yn weddol sicr y byddai'r gwaith yn cael derbyniad da. Fe wyddwn yn gynnar iawn yn natblygiad y gwaith fod yma onestrwydd a chrefft awdur llwyfan ar ei orau. Ond doedd Daf na minnau ddim yn barod am y don o werthfawrogiad a ddilynodd. Os oedd y profiad o lunio'r gwaith yn un dyrchafedig, roedd gweld a phrofi gwres a brwdfrydedd yr ymateb cyhoeddus, ledled Cymru, yn dyblu a threblu'r profiad hwnnw. Pan mae rhywun am ddegawdau (pedwar, mwy na heb, yn fy achos i) wedi teimlo rhywsut ar yr ymylon, islaw y norm, yn ymrafael yn gyson gyda theimladau o annigonedd, aflendid, hyd yn oed, a hynny'n deillio o'i hunaniaeth rhywioldeb, ac yna'n cael y profiad a gefais i yn sgil yr ymateb i *Llwyth*, gyda theatrau llawn â'u cynulleidfaoedd ar eu traed, fwy neu lai yn dathlu'r hunaniaeth honno, mae hi'n foment drawsnewidiol.

Yn dilyn llwyddiant taith gyntaf *Llwyth* (ac fe fu tair, i gyd), diolch i weledigaeth a chefnogaeth Chris Ricketts,

Cyfarwyddwr Sherman Cymru ar y pryd, fe aeth y cynhyrchiad hwnnw ymlaen i lwyddiant pellach yng Ngŵyl Ymylol Caeredin; llwyddiant a arweiniodd at ymweliad rhyfeddol â Gŵyl Gelfyddydol Ryngwladol Taipei yn Nhaiwan, lle bu i'r profiad hoyw Cymraeg eto, rywsut, daro tant.

Heb os nac oni bai, y profiadau trawsnewidiol hyn a roddodd i mi yr hyder i fentro meddwl y gallaswn arwain ein cwmni theatr cenedlaethol Cymraeg. Mae'n wir hefyd fod yna elfen o fod yn y lle iawn ar yr amser iawn o ran y stori honno, h.y. fod swydd Cyfarwyddwr Artistig Theatr Genedlaethol Cymru wedi ei hysbysebu yng nghanol y llwyddiant hwn. Ond os oedd fy rhywioldeb cyn hynny wedi profi imi yn rhyw fath o rwystr (boed hynny'n rhagfarn cymdeithasol neu'n rhwystr seicolegol personol), yr oedd yn awr yn achos llwyddiant digamsyniol. Fe roddodd imi'r hyder a'r hunan-gred na fedrais cyn hynny ond breuddwydio amdano. Pwy feddyliai?!

Fe newidiodd *Llwyth* fy mywyd i am byth. Mae'n fater o falchder personol imi ddarganfod hefyd i'r cynhyrchiad hwnnw gael argraff ddofn a dylanwad, pellgyrhaeddol hyd yn oed, ar nifer o rai eraill. Wrth inni gyflwyno ail bennod y stori hynod hon, sef *Tylwyth*, fe obeithiaf, wrth reswm, y bydd yn cyffwrdd â nifer eto mewn modd tebyg. Mae hi'n stori sydd yr un mor berthnasol, yn treiddio cyn ddyfned i'n hunaniaeth, nid yn unig fel dynion hoyw, ond fel Cymry Cymraeg, a thu hwnt i hynny, hyderaf, i brofiad dynol ehangach mewn byd sy'n gyson wthio rhai i'r cyrion, a thrwy gyfrwng arian, statws, a'r profiad syml o fod yn y mwyafrif, yn dyrchafu eraill.

Arwel Gruffydd, Chwefror 2020

Cymeriadau

Aneurin
Dan
Dada
Rhys
Gareth
Gavin

Hefyd: Angylion, Dynion yn y *Sauna*, Elinor, John, Mam a Winston Churchill.

Chwaraeir y cymeriadu hyn gan yr actorion sy'n chwarae'r prif gymeriadau.

Nid oes angen set naturiolaidd.

Mae'r ddrama'n symud yn ystwyth trwy leoliad ac amser. Yn aml, mae'n hanfodol bod un olygfa yn llifo i'r llall heb oedi.

Mae [/] yn dynodi torri ar draws.

Lleolir y ddrama ar draws dinas Caerdydd. Oni bai am yr olygfa gychwynnol, mae'r ddrama yn digwydd yn 2020.

1. Llyfrgell Caerdydd.

Clywir côr meibion yn canu (ar yr alaw 'Gwahoddiad').
Mae Aneurin yn ymddangos.

Côr (*yn canu*) *Mi glywaf dyner lais,*
Yn galw arnaf i,
I ddod a golchi 'meiau gyd
Yn afon Calfari.

Mae Aneurin yn paratoi llinell o coke ac yn ei chymryd.

Arglwydd dyma fi
Ar dy alwad di
Cana f'enaid yn y gwaed a gaed ar...

Mae'r côr yn peidio'n sydyn.

Aneurin Llawr ucha'r Llyfrgell.
A Chaerdydd yn ei gogoniant
Yn fwrlwm
Dan fachlud haul.

Mae'r Duwiau yn ein mysg ni heno.

Eu cyhyrau'n carlamu'n
Geffylau nwydwyllt
I fyny'r Ais,
Chomping at their bits,
A finne fel Efnisien
Yn ysu am eu cnawd.

Yn awchu am eu hewyn
I ddod
A golchi meiau gyd,
Wrth i'r dorf lifo
O'r Stadiwm i'r stryd,
Yn ddaffodiliaid
Ac yn gochion am yn ail:
Gwrol ryfelwyr,
Gwladgarwyr tra mad.

Ond rhyfelwyr Matholwch
Piau'r fuddugoliaeth heddiw.
A môr o feddwon ufudd
Yn maddau methiant ein milwyr ninnau –
Glasfedd eu hancwyn,
A gwenwyn fu.

Ond, helô!
Wele Fendigeidfran fendigedig
Yn ben ac ysgwydd
Uwchben y lleill.
Mae'n brasgamu'n eofn,
A'i dacl yn demtasiwn,
Heibio'r Tabernacl,
Lle bu Dad gynt
Yn fugail ar ei braidd,
Hyd nes i ni gludo Mami i'w hedd
Ar fôr o emyn-donau.
Ond Tywysog Tangnefedd sydd nawr yn troedio
Hebio'r Duke of Wellington
A St David's Two

(So good we named it twice!);
Pastrami a phersawr
Y seintiau masnachol –
Sant Carluccio a Jo Malone –
Yn gymysg â gwynt y pies a'r piss-ups,
A'r *Chips and Curry Sauce, please mate,*
Ddaw o Caroline Street.
Y cawr nawr yn camu
Tuag at *Five Guys Named Mo,*
Lle gynt y bu *Four Gays Named Homo*
Yn sancteiddio'u Sadyrnau
Cyn ei heglu hi am Charles Street
Ar eu ffordd i Uffern,
Amser maith yn ôl.

Ond na,
Mae'n cyrchu am y Corner House
Ble'r oedd y Kings 'slawer dydd,
A'i chwîns yn crawcian eu karaoke,
Ei gamau mawreddog
Yn ddaeargryn...

Vibrate.
Neges.
Grindr
To a halt.

(Yn edrych ar ei ffôn)
North Wales Dan.

Dan Ti'n siarad Cymraeg?

Aneurin Dim diolch,
Damwain ac app yw fy mod yn ei libart yn byw...

O, shit!
Mae Bendi – gay
(I wish!)
Nawr yn diflannu
Lawr gwythïen
Y Wyndham Arcade,
Never to be seen again,
Into the urban blood stream,
Fel y cyffur yn fy ngwaed.
Fy nghalon a'm hanadl
Ar garlam i gyd,
Fel y trenau'n
Clindarddach o Orsaf Caerdydd.
Bragdy Brains
A Threlluest
Yn ymestyn am
Y Bae and beyond.
Ac ar y gorwel:
Penarth Heights.
Make way, make way for progress...

Ffôn yn dirgrynnu.

Oh, fuck off. Beth ti moyn?

Dan Yn icon.
Ti ffansi peint?

Aneurin No way.
I want a God tonight
Not a Gog,
And I can tell
Mai ond meidrol wyt ti.

Mae'r côr meibion yn ailymuno: 'Arglwydd, dyma fi!' Maent yn parhau i ganu'r gytgan dros weddill yr ymson isod.

Ond…
What the hell?
Where's the harm?
Un peint chwim
To keep the mortals happy.
Ond wedyn fe af
Ymlaen, ymlaen at
Haf yr erwau hoyw,
I alw ar Dduwiau'r ddinas.
And when I call,
The Gods will…

Wedi i'r côr meibion gyrraedd diwedd 'Gwahoddiad' mae côr cymysg yn canu 'Wele'n sefyll rhwng y myrtwydd wrthrych teilwng o'm holl fryd' (Cwm Rhondda).

Mae Aneurin gyda Dan tu allan i Icon.

Aneurin Come home with me.

Dan Dwi'm isho jyst one-night stand… Dwi isho…

Aneurin Paid gweud plant.

Dan Wel, ella. Yn y dyfodol. Ond be am i fi gael chdi gynta?

Maent yn cusanu wrth i'r côr gyrraedd cytgan: 'Henffych fore!'

Wrth i'r côr ganu gweddill y gytgan...

Dan Ti'n blasu'n neis.

Aneurin Awn ni gytre, 'te?

Dan Deud ti wrtha i.

Aneurin Pam lai?
(Wrth y gynulleidfa)
Perthynas? Plant?
As if?

Curiad.

Mind you,
How hard can it possibly...

2. Lolfa Aneurin a Dan.
Saith mlynedd yn ddiweddarach.
Plentyn dyflwydd yn sgrechen drwy baby-monitor.

Aneurin (*yn gweiddi*) BE QUIET! FOR FUCK'S SAKE!

Dan Gad iddi. Wneith hi self-soothio rŵan.

Aneurin Dwi'n teimlo mor useless.

Dan Ti ddim yn useless.

Aneurin Ti sy'n neud popeth!

Dan Dy' hynny'm yn wir. Chdi sy'n dod â'r pres i fewn.

Aneurin I wish.

Dan Ma rywbath siŵr o gael y greenlight cyn bo hir, gei di weld.

Aneurin Gobitho 'ny, achos 'wi 'di rhedeg mas o syniadau a ni'n mynd i ddechrau rhedeg mas o arian.

Dan Does na'm ffasiwn beth â writer's block. Ddudist di hynny dy hun.

Aneurin But that was before I only had three hours sleep a night. Sdim byd diddorol 'da fi i ddweud rhagor! I'm a forty year old man. And my life is over. (*curiad*) Seriously. Na ddylen ni fynd ati hi?

Dan Neith hi sdopio rŵan. Trystia fi.

Aneurin I can't do this! 'Wi'n cael fantasies am daflu hi mas o'r ffenest.

Dan Ma pob rhiant ishio taflu'u plant allan dwy'r ffenast; the good ones are the ones who don't.

Mae'r crio yn distewi.

Dan Ddudis i.

Curiad.

Dan Dwi'n meddwl ella bod chdi'n depressed.

Aneurin Mae'n OK i ti. Mae'r ddau'n dwli arnat ti.

Dan Pedair a dwy ydyn nhw. Sgynnu nhw'm help. A fi sydd efo nhw drwy'r dydd.

Aneurin Exactly.

Dan Ond dwi wastad yn gadel y stafell pan ti'n dod nôl o'r llyfrgell.

Aneurin Ond ma nhw'n rhedeg atat ti as if their lives depended on it.

Dan Chdi sy'n mynd atyn nhw'n y nos.

Aneurin But they still scream for you as if I'm the sodding child-catcher.

Dan Aneurin, calm down!

Aneurin Ti sy'n codi dy lais! Peth diwetha ni moyn yw bod nhw'n clywed ni'n cweryla ar ôl popeth ma nhw 'di mynd drwyddo!

Dan So, paid â 'cweryla' efo fi, 'ta!

Aneurin Nawr 'wi'n deall pam bod dynion straight wastad yn diflannu lawr i'r pub gyda'u man friends.

Dan Wel, lwcus bo fi 'di gwahodd rhai chdi yma heno felly, 'ta,'de?

Aneurin Beth?

Dan Ma nhw isho gweld chdi.

Aneurin Sai ishe gweld nhw.

Dan 'Da ni'm 'di gweld nhw ers i'r plant gyrraedd. Ma hi dros ddau fis rŵan.

Aneurin I can't face them. Welest di reaction nhw pan wedon ni wrthyn nhw bo ni'n mynd i fabwysiadu. Ma nhw'n dishgwl i fi fethu.

Dan Paid â malu cachu. Ma nhw'n hollol gefnogol. Ffrindia gora chdi ydyn nhw.

Aneurin Ffona nhw a cansla.

Dan <u>Ti'n</u> bihafio fatha plentyn rŵan.

Aneurin Ond dwi'n miso ti. Dwi'n miso ni. Smo ni byth yn cael eiliad i ni'n hunen.

Mae cloch y drws yn canu.

Dada Yoo-hoo! Avon calling!

Aneurin/Dan (*fel nad oes dim yn bod*) Haia!

Daw Rhys, Gareth a Dada i fewn i'r cyntedd â bagiau siopa. Mae Gareth a Rhys lot mwy trwsiadus na'r gweddill. Mae Aneurin a Dan yn mynd atynt.

Rhys (*sibrwd*) Ni 'di dod â supplies!

Dada (*sibrwd*) Os ishe ni fod yn dawel?

Dan Na, mae'n iawn. Ma nhw'n cysgu.

Gareth (*yn uchel*) Oh, my God! You both look like shit.

Rhys Gareth!

Dan (*wrth Gareth*) You look hot. Like the shirt!

Gareth Well, business is good. I only have to work two days a week now. The franchise pretty much runs itself. They're calling me the Welsh Joe Wicks.

Dada (*pointedly*) Ond shwt y'ch <u>chi</u>?

Dan Yndan. Iawn, dwi'n meddwl.

Rhys Ac Aneurin?

Aneurin Good. Really good. Excellent.

Dada (*yn rhoi potel o Bollinger*) Ma hwn i chi.

Aneurin Dodd dim ishe.

Dada Mae'n olreit. Fi 'di prynu case.

Rhys Www, mae'r coleg yn talu'n dda dyddie ma', 'te?

Dada Ma 'da fi reswm i ddathlu.

Rhys Be?

Dada Drychwch ar y 'sgidie bach! Drychwch ar y 'sgidie bach!

Rhys Put the shoes down, Dada, a helpa fi 'da'r gins.

Dada Faint o gin chi moyn?

Aneurin Triples.

Dada Chi fod?

Aneurin It's the only thing keeping us sane at the moment.

Dada Chi'n swno fel alcoholics.

Rhys Na, Dada. They sound like parents.

Mae Dada a Rhys yn mynd i bataroi'r gins.

Gareth Jyst nipping up stairs for a piss.

Aneurin As long as that's all it's for.

Gareth What?

Aneurin You know what.

Gareth God, Aneurin. What do you take me for?

Mae Gareth yn gadael. Mae Dan yn edrych ar Aneurin mewn syndod.

Aneurin Beth? Mae'n plant ni lan lofft.

Dan Impressed dwi.

Curiad.

Aneurin Pum mlynedd. Diolch i ti.

Curiad.

Aneurin Sori am fod yn twat.

Dan Paid.

Curiad.

Aneurin Sai'n gwbod lle fydden i hebddot ti.

Dan Yn y gwter.

Aneurin *But looking at the stars.*

Dan Get over yourself.

Maen nhw'n cusanu.

Aneurin Is it me, or is Gareth getting bigger? Ti'n meddwl bod e ar steroids, 'fyd?

Dan 'Swn i'm yn synnu.

Rhys a Dada yn dychwelyd gyda'r gins.

Rhys Come on, bottoms up!

Dada Oh, those were the days!

Pawb Iechyd da!

Maent yn yfed.

Dada Wel, mae'n gwynto'n neis iawn 'ma.

Dan Yankee Candles.

Dada Hyfryd iawn, Dan.

Dan Aneurin brynodd nhw, actually!

Dada O'n i wastad yn gwbod bydde ti'n ddylanwad da arno fe.

Rhys Ti'n lwcus taw youth worker yw e.

Aneurin Pam?

Rhys Achos mae e 'di hen arfer delio gyda plant.

Aneurin Very funny.

Dan Wel… opposites attract.

Dada Diolch byth. Ma un Aneurin mewn perthynas yn hen ddigon. Bydde dau yn disastrous. Ti 'di dod yn bell iawn ers Voldemort.

Dan Voldemort?

Dada/Rhys *The one we dare not speak his name.*

Dan Dwi'm 'di clywed am hwn!

Rhys Doomed from the start.

Aneurin That was hardly a relationship. It only lasted three weeks.

Rhys O'dd hwnna'n record i ti ar y pryd.

Dada I knew it would end in tears yr eiliad hales di fe i siopa a dath e nôl â buffet o *Iceland*.

Aneurin Ti'n such a snob, Dada.

Dada Ma 'da fi chwaeth. Ma 'na wahaniaeth.

Aneurin Sai'n siŵr bod 'na.

Daw Gareth i fewn.

Dada Dwi'n browd iawn o ngwreiddiau dosbarth gweithiol, actually.

Aneurin O't ti'n edrych lawr dy drwyn ar Voldemort.

Gareth He <u>was</u> a bit of a chav though, wasn't he?

Aneurin Gareth! You can't say that.

Gareth I can. I <u>am</u> a chav.

Rhys No you're not.

Gareth (*wrth Aneurin*) And you can't say it's offensive on the one hand and wank over council-house porn / on...

Rhys With the other? I have to say, I love a tracky bottom; so much easier to pull down.

Aneurin Rhys!

Rhys Beth? Bach o hwyl diniwed yw e, 'na gyd.

Saib.

Rhys Ond o'dd Voldemort ddim yn ddiniwed, o'dd e?

Gareth Didn't he used to hit you?

Aneurin Only during sex.

Dada Yr hen gont.

Rhys Dada!

Dada Beth? Ma 'cont' yn air hyfryd. Cwmra'g cwbwl dderbyniol. Chi'n galw'ch ffrindie i gyd yn 'cont' lan yn y gogledd, nagych chi, Dan?

Dan Yn Gaernarfon, ella. Yndyn. Tu ôl i'w cefna nhw 'da ni'n contio'n ffrindia'n Port.

Dada Sa' i'n really deall Gogs. No offence, Dan.

Rhys Dada, ma hwnna'n Gog-ist.

Dada 'Sech chithe'n garcus 'fyd, Dan bach, sech chi 'di ca'l y profiad ges i 'da'r plumber 'na yn y toilets yn Blaenau Ffestiniog.

Rhys Watcha Dada, falle bod Dan yn nabod e.

Gareth I didn't know you met cottaging.

Aneurin/Dan We didn't meet cottaging!

Gareth How did you meet again?

Dan Icon.   **Aneurin** Grindr.

Gareth Oh, yes! Wales Ireland, twenty thirteen, wasn't it?

Aneurin That's the one.

Gareth One of my proudest moments that. Watching Rhys's choir singing in the Millennium Stadium.

Dada Hang on, o'n i'n meddwl bod chi 'di cwrdd yn nhŷ dy whâr?

Dan Oedd o'n *house-sitio* i'w chwaer.

Dada O, ie; 'na ni.

Dan A 'di deud 'tha fi ella sa rhaid iddo fo fynd nôl i fwydo'r gath, rhag ofn bod fi'n boring…

31

Aneurin S'o 'na'n wir.

Dan Ond dau beint wedyn 'nath o ofyn i fi fynd yn ôl efo fo.

Dada Wel y jiw, jiw. Co chi beth yw irony.

Aneurin Beth?

Dada Mai'r hyn achubodd ti yn y pen draw, from a life of drugs and promiscuity, o'dd pussy dy whâr.

Aneurin Dada!

Dada A nawr co Aneurin bach yn Dad!

Rhys (*yn canu*) *Tydi a wnaeth y wyrth o Grist fab Duw...*

Dan Actually, 'Dadi' 'di o; 'Dad' 'dw i. 'Dadi' o'dd Aneurin yn galw'i dad, so...

Dada Wel, co chi sbort (*yn canu*) *Dadi, Dada a Dad.*

Dada/Rhys (*yn canu*) *Nyni ydyw Triawd y Buarth.*

Aneurin Os rhaid chi droi popeth yn bloody musical?

Dada Ti sy'n colli mas.

Rhys Come on, gwedwch shwt mae e i gyd yn mynd?!

Aneurin Na, na. Gwedwch beth sy'n digwydd yn yr outside world yn gyntaf.

Gareth Well, I've sold the franchise. To Belarus.

Aneurin Belarus? Ble ddiawl ma Belarus?

Dada Wrth y maes awyr. Ddim yn bell o Bella-Barri. O! 'Wi ar dân heno!

Gareth Didn't know. Near Russia, I think.

Dada Dychmyga, Aneurin. Gareth bach ni'n dubbed in Belarusian.

Rhys Os chi'n cau eich llygaid ma' fe'n swno fel porn film Bel Ami.

Dada Czech yw Bel Ami, nyge Belarusian.

Aneurin Pam Belarus?

Dada Ma ishe nhw fod yn ffit. Rhag ofn i Butin drïo'u concro nhw.

Gareth Did you just say '*i Butin*'?

Dada Do. A watcha di or I'll insert my *boot in* your pen-ôl bach blewog os gari di mla'n fel hyn.

Gareth Promise or a threat, Dada?

Rhys Chance would be a fine thing.

Dada O! Dim pwp-dwll?

Gareth/Rhys Dim pwp-dwll.

Dada Dim pwp-dwll yw popeth. Www, ydi hwnna'n gynghanedd?

Rhys Na

Aneurin Gawn ni bach o fiwsig?

Dada O, ie. Syniad da.

Aneurin Beth chi moyn?

Dada Hey, Google… play Margaret Williams…

Rhys / Aneurin Na!   **Gareth** No!

Google Sorry, I can't help you with that.

Rhys Diolch byth am 'ny.

Dada Gad di i Margaret i fod. Os na wharewch chi *O'r Fan Acw* yn y'n angladd i, I'll kill you.

Gareth You won't be able to. You'll be dead.

Dada Ond fydda i'n gwylio chi… *O'r Fan Acw.*

Aneurin Odd Mami wrth ei bodd â Margaret Williams. Don't see it myself.

Mae Dan yn dewis cerddoriaeth ar ei ffôn. Clywir nodau agoriadol Gorwedd Gyda'i Nerth.

Rhys Eden?

Dan Be?

Aneurin You're such a poof! Pwy sy' ishe gin arall?

Gareth I'll make them.

Rhys Fennoch chi rheina'n gloi.

Gareth (*yn mynd i neud gins*) Any news on your Gaydoddin film, Aneurin?

Dan Ma Cwmni Cadno'n trio pitcho fo i'r BFI, dydi?

Rhys Www!

Aneurin Paid.

Gareth A queer transhistorical love story for the...

Gareth/Rhys/Dada Dr Who Generation.

Rhys Beth? Fydde 'da'r BFI ddiddordeb mewn dyn hoyw o Grangetown yn mynd nôl i'r Hen Ogledd drwy portal yn Merola's i ymladd 'da'r Gododdin?

Dada Beth ddigwyddodd i S4C?

Aneurin Smo nhw moyn twtcho fe rhagor. Too gay, apparently.

Dada Ond ma nhw 'di hen arfer 'da gays ar S4C nawr. O'dd na amser pan o'dd rhywun hoyw ar ein sianel cenedlaethol yn stori ar dudalen flaen *Golwg*.

Gareth What's *Golwg*?

Aneurin/Rhys *Daily Mail* Cymraeg.

Dada Ond nawr ma hyd yn oed Cwmderi'n llawn hoywon.

Gareth Pobol y Bwm!

Aneurin Wel, a certain kind of gay. Ones that don't rim or have anal.

Rhys 'Se Harriet Lewis yn troi yn ei bedd.

Dada Small victories, cariad. Small victories. Ni 'di dod yn bell.

Aneurin I dunno. I preferred the old days. When I was the only gay in the village.

Rhys You weren't the only gay in the village. You just made more noise.

Gareth We couldn't get married in the old days.

Rhys Maybe we were better off then, after all.

Gareth Fuck off, Rhys.

Rhys I'm joking!

Aneurin A allech chi ddadle bod marriage equality jyst yn atgyfnerthu'r heteronormative dominant order.

Dada Oh, shut up! O't ti ffili stopo llefen ym mhriodas Gareth a Rhys.

Aneurin Trapped wind.

Dada Come off it. Sdim byd gwell na dathlu cariad.

Aneurin Nid pawb sy'n credu in the sanctity of coupledom.

Gareth What is he talking about?

Rhys Slags.

Dada Smo fi 'di priodi a smo fi'n slag, diolch yn fawr.

Rhys Ie, ond mae fe basically'n dweud fod priodasau hoyw'n beth gwael achos cyn gynted â ma hoywon yn esgus bod yn straight, they can't fuck around anymore.

Gareth Open relationships?

Rhys I'm not <u>totally</u> convinced open relationships work. I think one may want it more than the other.

Aneurin Sai'n gwbod. I fi, ma' binaries yn problematic and relationships are based on binary principles so…

Dan Cariad ydi sail perthynas, ia ddim? Ddim 'binary principles'.

Aneurin Ie, 'wi'n gwybod 'ny…

Dada Ond y plant. Y plant! Gwedwch wrthon ni sut mae'n mynd 'da'r plant?

Aneurin Brilliant.   **Dan** Iawn.

Rhys Really?

Aneurin Ie. Really.

Dada Mae'r lle mor spotless 'da chi.

Aneurin Ma routine 'da ni. Tra bo Dan yn rhoi bath iddyn nhw, 'wi'n steam-cleano'r llawr ac yn cael gwared ar y teganau…

Rhys Ble ma nhw, de?

Aneurin Fynna. Tu ôl y soffa. Mewn bocsys. Dan y flanced. Dwi'n taflu blanced drostyn nhw.

Curiad.

Aneurin Oh, my God. I'm in total denial, aren't I?

Dada O, cariad!

Aneurin Plîs, paid. I might cry.

Rhys Gareth. Gin. Quick.

Mae Gareth yn rhoi'r gin i Aneurin. Mae Aneruin yn llowcio fe lawr. Maent yn gwylio fe'n gwneud. Mae Dan yn diffodd y gerddoriaeth.

Dada Aneurin, bach…

Aneurin Go on, dwed e. Dwed, 'I told you so.'

Dada Pam fydden i moyn gweud 'ny?

Aneurin Achos o't ti ddim yn meddwl bod hwn yn syniad da yn y lle cynta.

Dada Na. Na. O'n i jyst yn poeni… yn poeni bydde dau yr un pryd yn… yn anodd.

Aneurin Wel, o't ti'n iawn. Mae yn anodd. Mae'n really fucking anodd.

Dada Mae dal yn gynnar iawn, cariad. Dim ond cwpwl o fisoedd sydd, ife?

Aneurin 'Na beth ma nhw'n gyd yn cadw gweud. Early days! Da'th y social worker rownd ddo' a 'wedodd hi, 'You're doing really well'. 'Really well? Really well?' Wedes i. 'If this is "really well", I'd like to see fucking awful!'

Rhys Wedes di ddim o 'na wrth dy social worker?

Dan Mae o 'di deud lot mwy na hynna wrthi.

Rhys Really?

Aneurin O'dd rhaid fi ddweud popeth wrthi. O'dd dim pwynt cuddio pethe.

Dada Come on, nawr. Rhaid bod 'na positives. Mae'r lluniau mor annwyl.

Aneurin Don't be deceived. Oblegid dan glogwyn anwyldeb mae Satan yn cuddio.

Gareth You shouldn't say that. That's what that gay couple called their daughter in their texts and then it was used as evidence against them when they killed her.

Rhys Gareth!

Aneurin Oh, cheers, Gar! Exactly what I need to hear right now!

Gareth What?

Rhys Ma pob rhiant yn gweud bod 'na ddiwrnodau pan s'o nhw'n licio'u plant.

Aneurin Ie. But I don't love them either, so what am I supposed to do with that?

Curiad.

Dada Cofia Aneurin, chi 'di mynd o nought to sixty mewn chwinciad llygad llo bach.

Aneurin And I'm crashing on the motorway, fi'n gweud 'tho chi. Noson cyn i nhw ddod nôl 'da ni am byth, diwedd introductions week, o'n ni'n dreifo'n ôl o dŷ'r foster carers, ac ethon ni'n stuck mewn traffic jam ar yr M4. A ges i panic attack. O'n i'n iste 'na tu ôl i'r olwyn mewn hysterics a Dan yn treial calmo fi lawr, ond 'na gyd o'n i'n gallu gweud o'dd, 'Fuck Fuck Fuck Fuck Fuck Fuck Fuck!'

Dan O' 'na lot o 'fucks'.

Aneurin A wedyn ganodd y'n ffôn i, a Jackie o'dd 'na, y social worker...

Dan A nes i ddweud wrtho fo am beidio atab. Doedd o'm mewn unrhyw stâd i ateb / ond...

Aneurin Ond wedes i 'O's. O's. Ma rhaid i fi ateb hwn. Ma rhaid 'ddi glywed beth sy'n mynd mla'n.' So, biges i'r ffôn lan a 'wedodd hi, 'How is it all going?' A wedes i, 'I'll tell you how it's all going, Jackie. It's fucking awful. That's how it's all going. It's awful. It's worse than I could ever have imagined. In fact. This match is wrong, I tell you. This match is all wrong. It said in the CAR/B...

Dan Yr adoption report...

Aneurin It said in the CAR/B, that Kayden was a quiet, artistic, four-year-old boy who will need coaxing out of his shell. Well, this is bollocks, Jackie. This is bollocks. Because actually, Jackie, this shell, this shell you were talking about, I think I may have misuderstood your metaphor because stupidly I took it to mean that he was nothing but a little sea anemone, a vulnerable little sea anemone, washed up on the beach of life, but with just the right amount of PACE... with just the right amount of Playfulness, Acceptance, Curiosity and Empathy...

Dan Adoption thing 'di o.

Aneurin We would be able to tickle out this vulnerable, unconfident creature and make him blossom into a wonderful little boy; like a tortoise, maybe, a poor little tortoise who had been hibernating but who would gradually wake up and stretch out into the sunshine that me and my loving partner were going to provide. What you failed to tell me, Jackie, is that this so called 'shell' was in fact referring not to a sea crustacean or a little wrinkly reptile who sits quietly in corners; no, it's much more like the casing of a God-damn speeding bullet in an automatic rifle who needs no coaxing at all, because the moment he wakes up he fires himself out of bed and spends the whole bloody day ricocheting from wall to ceiling and back again. So no amount of PACE is going to help us now, Jackie, because the only way we can actually stop him is by full-body restraining him, wrestling him to the ground, and hoping against hope for the fucking best!

Mae pawb yn syllu arno'n syn. Ma Aneurin yn yfed gweddill ei gin.

Rhys Gareth, get him another gin.

Mae Gareth yn mynd i wneud gin arall.

Aneurin I feel like my life has ended. Drïodd y'n whâr 'yn rybuddio i bydde fe'n anodd, but I turned round and said to her, 'Beth sy'n bod arnat ti? Stop raining on my parade'. Ond hi o'dd yn iawn. Hi o'dd yr unig un o'dd yn treial bod yn honest. And what her eyes were actually telling me was, 'Get out! Get out now. Magu plant yw un o cultural cons mwyaf y byd a ma pawb sydd wedi ca'l plant yn complicit in the greatest cover up the world has ever known.'

Dada 'Dyw hwnna ddim yn wir, Aneurin.

Aneurin Shwt ti'n gwbod? S'o ti 'di ca'l fucking plant!

Dada Wel, na, ond…

Curiad.

Aneurin Ma rhaid nhw fynd nôl.

Curiad.

Gareth Have you watched super-nanny?

Rhys Gareth!

Aneurin 'W'i seriously'n meddwl bod ni 'di gneud camgymeriad mwya'n bywyde ni. Mae'r *Daily Mail* yn iawn: gay men shouldn't be allowed anywhere near kids.

43

Gareth Rubbish, if straight people don't want gays to adopt, then they need to stop making babies they can't look after.

Aneurin Ond 'wi'n meddwl bod ishe mam ar blentyn.

Rhys Pam ti'n gweud 'ny?

Aneurin Cause I'm all testosterone and anger. I'm constantly losing my shit.

Dan Mae pob rhiant yn colli'i shit.

Mae Gareth yn dychwelyd gyda gin arall i Aneurin.

Aneurin Ie, ond y gwahanieth yw, mae'n plant ni wedi bod trwy ddigon o trauma'n barod. They'll be more fucked up after I've finished with them than they were when they came here.

Dan Dy' hynny'm yn wir. Nest di ganu i Kayden neithiwr. Nest di dawelu fo. O'dd na neb rioed 'di canu iddo fo nes doth o i fan hyn.

Curiad.

Gareth So what did happen to them, then?

Rhys For God's sake, Gareth!

Gareth What? You don't mind me asking, do you?

Dan We don't mind you asking but… that's their story to tell, when they're older. If they want to.

Curiad.

Rhys Ti ddim really'n credu bod ishe mam ar blentyn, wyt ti?

Aneurin 'Wi'n gwbod, mae e yn erbyn popeth 'wi 'riod 'di gredu, ond ma pob mam 'wi'n cwrdd â yn y parc mor fucking amyneddgar. They're all so Mother Earth. Ma' nhw fel 'Endaf, paid â neud 'na cariad', when I have to muster all the power I have not to shout out (*yn sgrechen*) 'KAYDEN, GET THE FUCK OUT OF THAT TREE!'

Mae Dan a Rhys yn shwshio Aneurin.

Dada It's 'cause they've got a vagina, cariad bach.

Gareth What's that got to do with it?

Dada Wir. Ddarllenes i rywle. Os o's dach chi flaps, chi'n llai… flapabble.

Pawb DADA!

Dada Dwi 'di gweud erio'd, ma menywod… mwy evolved. 'Se menwod yn rheoli'r byd, fyse 'na ddim ryfel. Tra bod ni ddynion yn hyrddio ein heinioes ymlaen, ein pidynnau fel cleddyfe yn hawlio tiriogaeth. 'Na beth ni ddynion yn neud, 'ndyfe: bancwyr, gangsters, hyd yn oed ti, Aneurin – bardd, nofelydd, sgriptiwr – ni gyd moyn bod yn frenhinoedd bach ar ein byd. Stico'n polion i fewn i goncro rhyw Everest neu'i gilydd bob dydd. Bob un ohono' ni, (*yn canu i dôn* Mae Ddoe Wedi Mynd) *A'n cleddyfau yn ein dwylo ni...*

Dan Robat Arwyn?

Dada Ie! (*yn canu*) *Mae ddoe wedi mynd...*

+ **Dan** (*yn canu*) *Mae heddiw'n eiddo'i ni.*

Dan Class!

Aneurin Ond ma hwnna i gyd jyst mor depressing. Mae mor...

Rhys Heteronormative?

Aneurin Wel, ydi! R'un man ni ddweud bod dynion o Mars a menwod o Venus, and be done with it.

Curiad.

Aneurin O, er mwyn dyn, bobl. Chi fod i godi 'nghalon i!

Rhys Falle ddyle ti fynd i weld doctor? Ti'n swno'n depressed.

Dan Dwi 'di trio deud wrtho fo.

Rhys Falle bod 'da ti post-adoption depression? Ti 'di bod yn edrych mla'n shwt gymaint, a wedyn ma dy fyd di'n troi upside down / a...

Aneurin Sai'n depressed!

Dan Ti'm isio codi o dy wely.
Gareth Maybe you just need a night out.

Rhys We're not going out.

Gareth But, he's depressed!

Aneurin Sai'n depressed! Move on. Bach o newyddion da, plîs. Come on!

Curiad.

Dada Actually, ma 'da fi bach o newyddion da...

Rhys Oh, my god. Os boyfriend 'da ti o'r diwedd?

Dada Na!

Curiad.

Dada (*yn meddalu*) Nyge boyfriend. Gwell na 'ny.

Curiad.

Dada 'Wi'n symud.

Curiad.

Gareth You're leaving the flat?

Aneurin Ti'n gadael Celestia?

Dada Odw.

Aneurin Newyddion da 'wedes i!

Dada Mae e'n newyddion da!

Aneurin Ond pam?

Dada Dwi mynd i brynu ci. So, dwi ishe gardd.

Mae Rhys yn chwerthin.

Dada Pam ti'n wherthin?

Rhys O! Ti'n bod yn serious.

Dada Wrth gwrs bod fi'n bod yn serious!

Rhys O'n i ddim yn gwbod bod ti'n lico cŵn.

Dada Mae'n olreit bod ti a Gareth wedi symud i balas.

Rhys O'n i'n gwbod bod ti'n ypsét ymbiti hwnna!

Dada Wel, fi bownd o fod bach yn ypset! Y Billy Banks o'dd 'nghartref i, nes i nhw fwrw fe lawr i adeiladu (*mewn 'received pronunciation'*) Penarth Heights.

Rhys 'Wedes di bod e'n iawn i ni symud 'na! Ddylet ti 'di gweud os o't ti ddim yn hapus.

Dada O'n i'n hapus. I chi. Dwi yn hapus i chi. O'n i'n gobeithio 'sech chi'n hapus drosta i hefyd.

Gareth We are happy for you. Aren't we, Rhys?

Rhys Wrth gwrs bod ni! Jyst 'di cael bach o sioc, 'na gyd. Ma Celestia'n golygu lot i ni, nagyw e? I ni i gyd.

Dada Ac o'dd y Billy Banks yn golygu lot i fi 'fyd.

Rhys We didn't do it to spite you. Dada. Plîs. Paid bod fel hyn.

Curiad.

Rhys 'Wi wir yn falch drostat ti. Ma bywyd yn mynd yn ei flaen, 'ndyw e?

Dada All good things come to an end.

Rhys Yn union.

Gareth And what is there when all good things come to an end?

Curiad.

Dada Church Village?!

Gareth Church Village! We'll never see you again!

Dada It's not as if I'm going to Australia!

Gareth It's the other side of the motorway!

Saib.

Aneurin Wel, fydd ishe ni ddod rownd 'n bydd? I ddweud ta-ta.

Dada Well chi siapo,'te; 'wi'n symud mas dydd Llun.

Rhys Beth? A nawr ti'n gweud 'tho ni?

Dada Sai 'di gweld chi ers sbel, naddo fe?

Aneurin Fydd rhaid i ni ddod rownd fory, 'te?

Gareth Agreed.

Rhys Bydde hwnna'n OK, Dada?

Dada Wel, ie. Bydde. Bydde hwnna'n neis.

Gareth And we really do have to go out now, don't we?

Rhys Paid bod yn stupid. Smo ni'n mynd mas! Smo ni 'di bod mas ers blynyddoedd.

Gareth Exactly. So, it's about time we did, isn't it? Before Dada emigrates to Australia. And Aneurin tops himself.

Rhys Gareth!

Gareth (*wrth Aneurin*) You'd like to go out, wouldn't you?

Aneurin Um… in case you haven't noticed I've got two children upstairs?

Gareth Dan will look after them, won't you, Dan?

Aneurin No. / I'm…

Dan Actually, Aneurin. Dwi'n meddwl sa fo'n syniad da. Go on. Cer i'r pub efo dy 'man friends'.

Aneurin (*wrth Dan*) Na! (*yn is*) You know I don't go into town anymore. I can't go into town anymore.

Dan Fyddi di'n iawn.

Gareth What do you say, Dada? You'd like to come to town, wouldn't you?

Dada Town? What is this place they call 'Town'?

Gareth Go dancing? Like old times.

Dada I <u>am</u> old times.

Gareth Don't be soft. You're made to party.

Dada I'm mostly made of Gaviscon these days. Pam so ni jyst yn aros miwn i wylio *Strictly*.

Dan Na! **Gareth** No!

Dada Ond ma Gareth Thomas yn neud y Rumba heno.

Gareth I'll give you a Rumba you'll never forget.

Dada Wel, os felly, fuck it. Pam lai?!

Gareth Excellent. Rhys?

Rhys Only if Aneurin comes…

Dada/Gareth (*chwareus*) Aneurin?

Mae Aneurin yn troi at y gynulleidfa.

Aneurin Dan y procio a'r cecran,
Y jôcs a'r bigitan,
Dan ein glud a'r papur brau
Mae cracs ein gwahaniaethau
Yn araf droi'n agendor
Dan wyneb ffug ein hundod.
Gareth a Rhys, Dada, a fi,
Ar ddibyn rhyw ddadeni,
A Dan, y dyn sydd i mi'n dân,
Yw'r fflam dan gawl ein crochan.

Dan Ti'n mynd. (*Wrth y gweddill*) Ma'n dod.

Gareth Fucking excellent!

Aneurin Na. No way. There's no way in Hell I'm going to…

3. Mary's, St Mary's Street.
Mae Dada, Aneurin, Rhys a Gareth yn sefyll mewn bar orlawn.
Cerddoriaeth bop gyfoes, swnllyd.

Aneurin Town isn't what it used to be.

Gareth I feel old now.

Aneurin/Rhys We are old.

Aneurin Fi ffili credu nath y bouncer ofyn os o'n i'n gwbod pa fath o far o'dd e. They thought we were straight.

Gareth We're not straight – obviously. We've just become boring.

Rhys Speak for yourself.

Aneurin Ond rhaid bod ni 'di dechre gwisgo'n straight, heb sylweddoli. Oh, God. What happened?

Dada Pam o'dd rhaid ni ddod i… ble y'n ni 'to?

Gareth Mary's.

Dada That's the one. Fi ffili clywed yn hunan yn meddwl 'ma. Beth sy'n bod ar Icon?

Aneurin Gone.

Dada King's Cross?

Aneurin O, Dada. Gaeodd King's Cross flynydde'n ôl.

Dada Exit?

Gareth It exited.

Dada A Club X?

Gareth You hated Club X!

Dada I hated them all, cariad, but Charles Street is where I mispent my youth. 'Wi'n teimlo fel bod pishyn ohona i 'di marw.

Gareth We could always go to the Golden. The Golden's still hangin on in there.

Rhys Na, it reminds me of Brynawelon.

Gareth Where do people go if they want a bit of techno now?

Aneurin Bristol? London?

Gareth Remember when Trade used to come to Club X?

Aneurin Yes. When dancing was foreplay.

Rhys Ma nhw gyd ar Grindr nawr. Sdim cymuned rhagor. Mae fel colli'r capeli.

Aneurin 'Wi mor falch sa'i ar Grindr rhagor. Mae mor fucking addictive.

Dada In my day, o'dd rhaid i chi witho'n galetach i gael rhyw. Lot mwy rewarding. The backward glances, the cottaging…

Gareth The smell of piss.

Aneurin Mae Eagle ar Charles Street dal yn cruisy, apparently. A ma'r sauna dal 'na.

Dada So Dada'n lico'r sauna. Mae'r jacuzzi'n llawn jizz. (*curiad*) Ydi hwnna'n gynghanedd?

Aneurin/Rhys Na!

Aneurin Anyway. So'r sauna mor wael â 'ny.

Rhys Pam? Pryd o't ti yn y sauna ddiwethaf?

Aneurin LBD, cariad.

Rhys Life Before Dan?

Aneurin M-hm.

Rhys All good things come to an end, Dada.

Dada Ond ma pawb mor ifanc, mor dene. Ble mae'r bears i gyd?

Aneurin We're the bears now.

Rhys A sneb actually yn gay dyddie 'ma, ydyn nhw?

Dada Ti'n iawn. Ma nhw gyd yn non-binary neu gender fluid neu… In my day you had straight, gay, lesbian and confused. Nawr it's LGBTQX-tra large with a whopper. Hedd i'th lwch Charles Street, all is forgiven.

Rhys Wel, os ti'n casáu fan hyn gymaint, allen ni wastad mynd i…

4. WOW Bar.
Yn ystod yr olygfa clywn 'Love to Hate You' gan Erasure.

Dada WOW 'wedest di.

Rhys WOW yw hwn.

Dada Beth sydd 'di digwydd i Buffalo?

Gareth I thought you'd approve that the gays were slowly taking over.

Dada I would if they could do it tastefully.

Aneurin Make way, make way for progress.

Dada Mae'r miwsig yn well o leiaf.

Gareth I said we should have gone to Churchill Way.

Aneurin I'm not going clubbing on a street named after a Conservative.

Rhys Ond ti'n ddigon bodlon dod i *Windsor* place!

Aneurin Oh, my God. Ti'n iawn. *Charles* street. *Windsor* Place. *Churchill* Way. So nhw'n fodlon ar goloneiddio Cymru! They've colonised the gays too!

Rhys Don't bite the hand that feeds you. I David Cameron mae'r diolch bo ni 'di priodi. Mae'r Ceidwadwyr actually 'di neud lot dros hoywon. Decriminalised homosexuality for starters.

Aneurin And gave us Section fucking Twenty Eight.

Dada A Brexit.

Gareth *Don't mention the war!*

Rhys Yh! 'Scuse me! Na'th Cymru bleidleisio dros Brexit.

Aneurin Dyna beth mae canrifoedd o gael ein coloneiddio yn neud i ni.

Dada *Gwladychu* yw *colonise*.

Gareth Gwladychu?! I though that was Welsh for wanking?

Aneurin No. That's *llawgnychu*. (*curiad*) Mind you, colonising is a bit like wanking. It's how they've kept us submissive. Wanking us off just enough so we think we're actually enjoying it…

Dada Gallwn ni beidio siarad am wleidyddiaeth. It's uncouth.

Rhys 'Wi'n mynd i'r bar. Potel o Prosecco?

Gareth Get some Champagne, Rhys. Put it on the joint.

Rhys yn gadael.

Aneurin Did Rhys vote for Brexit?

Gareth I don't know.

Aneurin What do you mean you, don't know?

Gareth We don't talk about it.

Aneurin Did <u>you</u>?

Gareth That's private.

Aneurin Oh, my God. You did!

Mae Elinor yn ymddangos (chwaraeir gan yr actor sy'n chwarae rhan Rhys).

Elinor Aneurin, cariad!

Aneurin *(dan ei anal)* Fuck. O, helo, Elinor!

Elinor Bloody marvellous fan hyn, yndyw e? 'Sen i ond yn gallu gwisgo heels fel 'na. Helô fechgyn.

Dada/Gareth Helô.

Aneurin Sori, dyma /El…

Elinor Elinor Andrews. Chief Exec Cwmni Cadno. Boys night out, ife? Ooh, you gay boys know how to have a good time? Ni mas ar hen-do un o'r staff. Co ddi, draw fynna, a chondom ar ei phen. The folly of youth!(*Wrth Aneurin*) Gest di'r notes diwethaf ar y sgript, dwi'n cymryd. They <u>love</u> you! Jyst paid anghofio taw fi ffindodd ti gynta! And in all seriousness, meddylia ymbiti'r cynnig. Ma nhw'n hapus i dalu am ddrafft newydd, jyst bod ti'n cymryd y Gymraeg mas. Set it in the North of England or something. The North sells, darling. It's just cooler, bach.

Aneurin Ond mae'r Gododdin yn y North / of...

Elinor Lan i ti wrth gwrs, But you'd be a fool not to! Yn enwedig 'da'r plantos bach 'na ar eu ffordd!

Aneurin Actually, ma nhw /wedi...

Elinor Beth yw 'u enwe nhw 'to? Fyddan nhw siŵr o fod yn mynd i Dreganna 'da'n wyresau bach i.

Aneurin Kayden a Chanel.

Elinor O! Anffodus. (*Yn chwerthin*) Ond 'na ni, allwch chi wastad alw nhw'n Cai a Siân!

Aneurin Sori?

Elinor Anyway, well fi fynd, cyn i'r ferch druan yna dagu ar ei chondom! Ffonia fi.

Elinor yn gadael. Rhys yn dod nol â Champagne.

Dada Pwy ddiawl oedd y Wicked Witch of the West? O'dd hi'n horrific!

Aneurin 'Wi'n gw'bod.

Rhys Ond chi'n gw'bod faint ma' ei chwmni hi werth, 'ndych chi? Can miliwn.

Gareth Fuck off.

Aneurin (*wrth Rhys*) Shwt ti'n gwbod 'ny?

Rhys Common knowledge.

Dada Shwt ma fe werth can miliwn?

Rhys They didn't used to call it S4-Siec for nothing.

Dada Ond sdim arian 'da nhw nawr?

Aneurin Nagos. Achos bod pobl fel hi'n byw mewn gated community yn Rudry.

Dada Ma'r peth yn gwbwl anfoesol.

Rhys Take the money and run, Aneurin, that's what I say.

Aneurin What? Na. It's selling out.

Rhys Paid bod yn ridiculous. You can't afford to be authentic when you've got mouths to feed.

Aneurin Course I can.

Rhys Ti'n lico meddwl bod ti'n working-class hero, ond ti ddim; ti'n fachgen bach dosbarth canol o Landâf. Ti'n typical o'r Cymry Cymraeg, yn mynnu taw underdogs y'n ni o hyd. Joio chwarae bod yn eilradd.

Dada Beth ti'n feddwl?

Rhys Wel, ma popeth yn fucking 'braint ac anrhydedd' ar *Heno*. Mae'r Cymry mwy submissive na twink mewn parti bukkake.

Dada O! Flashback!

Rhys Ond sdim ishe ni fod. Smo ni'n underdogs rhagor. Ni'n freintiedig! Why do we always have to pretend we're hard done by?

Dada Achos ni dal yn lleiafrif!

Rhys Ie, ond lleiafrif breintiedig. Ni'n lico honni taw lefties dosbarth gweithiol y'n ni, ond y gwir yw, mae'r Cymry 'di neud shit loads o arian off yr iaith. Cyfryngis, cyfieithwyr. Mae'r rhan fwyaf o'r Cymry Cymraeg yn ddosbarth canol nawr. Pwy fuck yw'r werin datws erbyn hyn?

Dada Fi! Dwi o'r Billy Banks, thank you very much.

Gareth (*yn canu*) *She's still, she's still Jenny from the block.*

Dada Shut up, Gareth!

Gareth I'm going for a slash before Dada from the block starts throwing some punches!

Dada Ti'n synnu fi, Rhys.

Rhys Dwi jyst yn gweud bod lot o siaradwyr Cymraeg yn rhagrithwyr.

Dada Dwi ddim!

Rhys Ni i gyd yn rhagrithwyr, Dada. Especially honna. Mae'i hinstagram hi'n llawn lluniau rallies dros yr iaith a Yes Cymru, ond 'se hi'n gorfod dewis rhwng arian a pharhad y Gymraeg, I know which one she'd choose.

Aneurin Sori. 'Wi'n confused, Mr Arweinydd Côr y Cwm, gafodd ei arestio unwaith am baentio dros arwyddion Saesneg yn Llantwit Major. Ers pryd ti'n casáu Cymru?

Rhys 'Sai'n casáu Cymru. Y Cymry 'wi'n casáu.

Aneurin (*hanner-jocan*) Who <u>are</u> you?!

Curiad.

Dada Paid â gwrando arno fe, Aneurin. Smo ti ishe gwithio 'da honna. Yr hen hwch. 'Anffodus', wir!

Daw Gavin i fewn. Mae'n taro mewn i Dada. Erbyn hyn mae'r gerddoriaeth wedi newid i 'Tainted Love' gan Soft Cell.

Dada (*ddim yn ei adnabod*) Excuse me, young man!

Gavin (*ddim yn ei adnabod*) Chill-out, Granpa.

Dada Gavin!

Gavin Wha'?

Dada 'Wi ffili credu ma chi sy' 'na. Gavin!

Gavin (*yn sylwi pwy sydd yna*) Dada?

Dada Dewch yma, Gavin. Dewch at Dada!

Mae Dada'n cofleidio Gavin. Mae Gavin yn edrych yn anghyffyrddus.

Rhys Gavin.

Gavin Mr Thomas.

Dada Shwt y'ch chi? Sa'i 'di gweld chi ers… wel, ers i chi… Chi dal yn perfformio, Gavin?

Gavin Kind of.

Dada Beth chi'n feddwl, 'kind of'?

Rhys 'Wedodd Dada wrthon ni bod e 'di bod yn helpu ti fynd i goleg drama yn Llundain.

Dada Ei dalent gath e 'na, nyge fi!

Rhys O'dd pawb yn yr ysgol mor browd ohonot ti.

Gavin Really?

Rhys Wrth gwrs 'ny.

Dada Stopoch chi gysylltu, Gavin bach. Ar ôl i chi symud i Lundain.

Gavin Lost my phone. Didn't have your number.

Dada Ond o'ch chi'n gwbod lle o'n i'n byw?

Daw John i fewn (chwaraeir John gan yr actor sy'n chwarae rhan Gareth).

John Gavin. We're going. Say goodbye to your friends.

Mae'n syllu'n fygythiol am ennyd cyn gadael.

Gavin Sori. (*curiad*) I better go.

Mae Gavin yn gadael wrth i Gareth ddod i fewn.

Gareth (*wrth Aneurin*) Hey, wasn't that that boy you / once…?

Aneurin Nothing happened, actually.

Gareth …plied with drugs, I was going to say.

Mae Rhys yn edrych arno'n gas.

Gareth What? I'm only teasing.

Rhys Well, don't.

Gareth Why are you sticking up for him? You were his teacher. You could have lost your job.

Rhys I'm not sticking up for him but…

Dada Beth sy 'di digwydd i Gavin? Ma'n edrych yn ofnadw.

Rhys A pam ma fe 'da'r John 'na? He's bad news.

Gareth Don't get involved, Rhys.

Rhys Ond…

Gareth He's not your responsibility.

Dada Dyletswydd pwy yw e, 'te?

Gareth You can't be responsible for all your ex-pupils or you'd have drugs, suicide and murder on your hands every day of the week.

Dada O, Gareth.

Gareth You lent him two hundred quid, then he never spoke to you again! Rude.

Dada Rhoi hwnna wnes i, nyge benthyg e. Fel bod e'n gallu mynd i'r audition yn Llunden.

Gareth Well, that's even worse. The ungrateful little shit.

Aneurin I was off my face that night... total twat.

Curiad.

Gareth (*yn sylweddoli*) Shit. Sorry. I forgot that was the day...

Aneurin I lost my virginity on Hampstead Heath.

Gareth But I thought you lost that with Rhys?

Aneurin I was a top with Rhys, cariad. Ond (*yn canu i alaw 'Mae 'Nghariad i'n Fenws'*) Fe golles i 'mhwp-dwll ar ben Hampstead Heath.

Gareth The morning your Mam died?

Aneurin Yes. The irony. I came as my mother went.

Dada Aneurin...

Gareth So... what? You lost your bottom virginity in London, and you came back to Cardiff and tried to pop a school boy's cherry as well...

Rhys ALRIGHT, GARETH. Stop banging on about it. You're SO STUPID sometimes. Read the room. Read the room!

Curiad.

Gareth What? Aneurin knows I'm…

Mae Rhys yn edrych yn gas arno.

Gareth (*wrth Aneurin*) Sorry.

Aneurin It's OK. I was a mess that night. (*yn gwneud pwynt*) It's what drugs do to you.

Mae Gareth yn codi.

Gareth I'm going to get some cash.

Rhys Why do you need cash? Use your card?

Gareth It's not working.

Rhys How you going to get cash out, then?

Gareth I'll use my other card.

Rhys Use your other card here.

Gareth I want to get some cash out alright?!

Mae Gareth yn gadael. Tawelwch lletchwith.

Dada Actually. 'Wi'n meddwl a'i gytre.

Rhys Paid â mynd, Dada.

Dada Ma ishe fi fynd. Cyn i fi droi'n bwmpen.

Curiad.

Rhys Ti moyn fi ddod 'da ti i'r tacsi.

Dada Na, na. Aros di 'da Dadi.

Mae'n cusanu Rhys.

Dada (*wrth Aneurin*) Mae'r plant na'n lwcus ofnadw i ga'l ti a Dan, ti'n gwbod?

Aneurin Diolch, Dada.

Dada 'Wi i mor browd ohonot ti. (*curiad*) Look at you. All grown up.

Aneurin Wyt ti'n llefen?

Dada Trapped wind.

Mae Dada'n cusanu Aneurin ac yn gadael.

Aneurin And then there were two.

Rydym ni'n clywed 'I Know Him So Well'.

Aneurin Just as they're playing our song.

Mae'r ddau yn gwenu.

Aneurin God. Ti'n cofio Pixie Perez a Amber Dextrous yn canu hwn yn DV8? I shagged Pixie Perez once. Very talented piano player. After I ejaculated, she immediately got up and played *'The Arrival of the Queen of Sheba'* in my honour.

Saib

Aneurin Ti'n OK, cariad? Ydi Gareth a ti'n…?

Rhys Ni'n fine.

Aneurin Ydyn <u>ni'n</u> OK?

Rhys We're fine, Little Sheba.

Aneurin Jyst heno…'wi'n teimlo bod fi'n colli nabod arnat ti tym' bach.

Rhys S'o ti'n colli nabod arna i. Ni jyst… smo ni 'di gweld ein gilydd ers sbel, ydyn ni?

Curiad.

Rhys Rhoies i 'mhwp-dwll i ti pan o'n i'n un deg saith; you're not getting rid of me that easily.

Aneurin Rhoiest di stŵr i fi 'fyd! Gweud wrtha i i slowo lawr because it was like being shagged by the / Duracell Bunny.

Rhys Duracell Bunny.

Aneurin Even as a bottom you still had to be in charge.

Rhys <u>Power</u>-bottom, diolch yn fawr.

Aneurin Always have to be in control. Wastad yr athro. Fel yn y dark room 'na yn Gran Canaria?

Rhys/Aneurin 'Hwp dy bants lan, Aneurin! Ni'n mynd.'

Rhys Well, you needed saving.

Aneurin I've always needed saving.

Curiad.

Rhys A wedyn gwrddest di â Dan.

Curiad.

Aneurin 'Wi dala angen ti though, ti'n gwbod?

Rhys Wyt ti?

Aneurin Wrth gwrs 'ny.

Curiad.

Rhys 'Wi'n meddwl falle taw galar yw'r iselder 'ma, ti'n gwbod?

Aneuirn Don't be ridiculous.

Rhys Ond ti newydd ddod yn rhiant. Mae bownd o godi pethe. O't ti a dy fam mor agos…

Aneurin O'dd hwnna ddeng mlynedd nôl.

Rhys So?

Aneurin Gollodd Dan ei Dad e pan o'dd e'n blentyn. Ma' fe'n hollol fine… Nyge 'na beth yw e.

Curiad.

Rhys 'Se hi 'di bod mor browd ohonot ti.

Aneurin Sai'n gwbod. Ma Dad dal ddim on side.

Rhys Poeni ma fe. Mae mor estron iddo fe. He came round to the gay thing, didn't he?

Aneurin Do, ond…

Rhys Jyst rho amser iddo fe. Dal ei law e. Withe mae'n rhaid i ni fod yn Dadau i'n tadau, 'ndo's e?

Curiad.

Aneurin Ti'n gwbod beth sy'n torri 'nghalon i fwya? Mwy na'r ffaith gath Mam ddim cwrdd â'r plant.

Curiad.

Aneurin Gath hi ddim cwrdd â Dan. 'Se hi 'di bod wrth ei bodd 'da Dan. Na pam 'wi gyda fe, 'wi'n meddwl.

Rhys Achos fydde dy fam 'di lico fe?

Aneurin Na. Achos… mae'n atgoffa fi ohoni hi.

Curiad.

Rhys Awn ni gytre, ife?

Aneurin Beth am Gareth?

Rhys Fydd e moyn aros mas, mae'n siŵr. Decsta i fe.

Aneurin Let's have one more?

Rhys Na. 'Wi yn y gym fory am naw, so…

Aneurin Ers pryd ti 'di bod yn mynd i'r gym?

Rhys Newydd ddechre.

Curiad.

Aneurin Arosa i am Gareth, 'wi'n meddwl.

Rhys Sdim ishie i ti. Ma fe ddigon mowr i edrych ar ôl ei hunan.

Aneurin Na. O'dd Dan yn iawn. Ma' ishie i fi fynd mas mwy.

Rhys (*yn amau*) Ti'n siŵr?

Aneurin Fydda i'n fine. 'Wi'n addo.

Rhys OK…

Mae'n rhoi sws i Rhys, ond mae Rhys dal i fod yn ansicr.

Aneurin Who's your favourite Aneurin?

Mae Rhys yn gwenu.

Rhys Aneurin Bevan.

Curiad.

Rhys (*yn garedig*) Ta-ra, twat.

Aneurin Ta-ra, cariad.

Mae Rhys yn gadael. Mae Aneurin yn codi'r ffôn.

Dan (*yn poeni*) Aneurin?

Aneurin Sdim byd yn bod. O't ti'n cysgu?

Dan 'Dio'm ots.

Aneurin O'n i jyst moyn clywed dy lais di.

Dan O… am neis.

Aneurin Un drink bach arall a 'wi ar 'yn ffordd gytre.

Dan Sy'm ishio i chdi ddod adra eto. Na' i godi efo'r plant.

Aneurin Na. 'Wi ishe dod gytre. 'Wi moyn bod gytre. Nos da.

Dan Nos dawch, cariad.

Daw Gareth i fewn. Mae'r gerddoriaeth yn newid i 'Don't Stop Me Now' gan Queen.

Gareth Just you and me left, babes. Like old times. Another one here? Or shall we just go over to Pulse. Want to dance? Or… fuck it. *(canu gyda'r gerddoriaeth) I feel ali-i-ive.* I'm gonna get us some more Champagne. We're celebrating! Officially Wales' highest grossing independant lifestyle and fitness instructor!

Aneurin Actually, Gar. I think it's probably best I go home now too.

Gareth What do you mean? You can't! We need to party. Have you got any idea how much money I'm bringing in? *(Gyda'r gerddoriaeth) I'm floating around in ecstasy, so don't stop me now…*

Aneurin Gareth…

Mae Gareth yn ceisio cael Aneurin i ddawnsio.

Gareth *Don't stop me, 'cause I'm having a good time, having a good time!*

Aneurin Gareth!

Gareth What?

Aneurin You really need to stay off the coke.

Gareth I'm not on coke.

Aneurin Yes you are. I'm not stupid. You didn't go to the cash point. You went after John.

Gareth (*ddim yn gwrando*) You know, I'm sure I saw Gavin bare-backing in a porn film once.

Aneurin What?

Gareth Want to see?

Aneurin No.

Gareth I'm sure I can find it... (*yn estyn ei ffôn*)

Aneurin I don't want to see it.

Gareth Bet you do a little bit.

Aneurin No, I don't! How much coke have you had?

Gareth (*yn gwenu*) Want some, do you?

Aneurin No.

Gareth Come on, just a little line. Once isn't going to hurt.

Aneurin Yes, it is actually.

Gareth It won't. / I…

Aneurin No! You know I can't. What's wrong with you? Friends should keep each other safe.

Gareth No, friends should give each other what they really want.

Aneurin Fuck's sake, Gareth…

Mae Aneurin yn cerdded allan o WOW. Mae Gareth yn ei ddilyn. Mae'r gerddoriaeth yn troi'n gefndirol.

5. Windsor Place

Gareth Sorry. Sorry. I shouldn't have done that. I shouldn't have…

Aneurin It's really not fair. You know / I…

Gareth I said I'm sorry, OK?

Aneurin Did you take some in my house?

Gareth What?

Aneurin In my house. Upstairs. After I told you not to. Did you take any?

Gareth No! I told you I didn't.

Aneurin Don't lie to me, Gareth.

Gareth I'm not lying! You asked me not to, so I didn't. Don't lose your shit with me just because you're not allowed to do it anymore.

Aneurin I don't want to do it anymore.

Gareth Yeah. Right.

Aneurin I don't. Because I know what it does to me. And I'm worried about you, Gar. It's really not healthy, you doing it on your own like this.

Gareth But, you used to do it on your own all the time! You never used to give a fuck about anyone else.

Aneurin Yeah. Well. Then I grew up!

Gareth No. Aneurin, then you became boring. You're boring and you know it. You can't bear it that I'm having all the fun, like you used to.

Aneurin You're not being very nice right now. This is exactly what it does to you!

Gareth You're just fucked off because the truth is, you wish you were doing it with me! If you were being totally honest, you don't want to go back home any more than I do. You'd much rather be doing lines with me like we used to and fucking as many strangers as you can.

Aneurin No. That isn't what I want. I love Dan / and...

Gareth So? What's that got to do with it. I love Rhys. But I also love coke, and I love cock. And that's OK. Rhys is OK with that so...

Aneurin What do you mean?

Gareth Didn't he tell you? We're in an open relationship now.

Aneurin What? No, you're not.

Gareth We are.

Aneurin Since when?

Gareth Since last week, actually.

Aneurin Well, I doubt he's OK with that. In fact, he / said...

Gareth It was his decision!

Aneurin Whatever's going on between you, I really don't think that's the answer.

Gareth I bet you, when I said it, a small part of you wished you were in one too. Because Aneurin Wyn Roberts was never going to settle down, was he? That wasn't the plan. That's not who you are. Cause all Aneurin Wyn Roberts really wants... is to write and fuck! You used to live for fucking...

Aneurin (*yn cerdded bant*) Alright, Gareth, that's enough...

Gareth ...and when you weren't fucking, you were making damn sure that you were telling us all about it. In painstaking graphic detail. In fact, I think the only reason you used to fuck so much was so you could tell us about it, because you <u>loved</u> being the centre of attention. The slutty story-teller king. And now, who are you? No one. You're just another Dad. You've become your parents. You've become fucking straight!

Aneurin No, I haven't!

Gareth You keep telling yourself that. If you can't be honest with yourself. Go on. Go home to your 'domestic bliss'. Cause

I'm going to go to Pulse, take another fat line of coke, dance my tits off, and then I'm going to go the sauna and fuck my tiny little brains out.

Mae Gareth yn gadael.

Aneurin Atgas demtasiwn fy mrawd.
Dy wawd fel gwn yn tanio
Yn agor hen glwyfau
A chreithiau tyner na fyn asio.
Ond ymaith.
Ymaith, Satan!
I dywyllwch y nos.
Adre'r af,
Ar frys lawr Heol y Frenhines.
Y seintiau sy'n fy arwain heno:
Dan o Drelluest
Yn galw'r hen bechadur
I fyny Stryd y Santes Fair
A heibio ein Harglwydd BBC –
Yn dalog uwch ddiawled Wood Street –
A thros y Taf dywyll
Sy'n fy nhywys
I'r byd Islaw'r bont *Brains;*
Yr afon ddu fel Heol Felen
Yn ymdroelli am adre,
Gan adael Oz o'i hôl.

Mae Aneurin yn dod ar draws Gavin yn bêl ar y stryd gerllaw fflatiau Fitzhamon Embankment. Mae e mewn cyflwr ofnadwy; ei wyneb yn waed i gyd. Nid yw'n ei adnabod i ddechrau.

Aneurin You alright there?

Gavin yn fud.

Aneurin Gavin?

Gavin Leave me alone.

Aneurin Fuck, Gavin. Fi yw e, Aneurin. Dere, gad fi helpu ti.

Gavin I don't need your help.

Mae Gavin yn codi a cheisio cerdded ymaith, mewn poen.

Aneurin Plîs. Gad fi helpu ti. Beth ddigwyddodd?

Gavin I fell over.

Aneurin Fan hyn ti'n byw? Ble ma dy allwedd di? Rho dy allwedd i fi.

Gavin Na.

Aneurin Ti'n wâd i gyd, Gavin.

Gavin You're not coming up.

Mae Gavin yn syrthio mewn poen. Mae Aneurin yn ei ddal.

Aneurin 'Wi'n treial helpu ti.

Gavin He'll kill you if he sees you.

Aneurin Pwy? Pwy sy' 'di neud hyn i ti?

Gavin John. He'll kill you.

Aneurin Well, that's a risk I'm willing to take.

Mae Aneurin yn codi Gavin.

Aneurin Doli glwt o fachgen,
Yn ddolur yn fy nwylo
A'r drych yn ei lygaid yn adlewyrchu
Cythraul fy nghywilydd;
Y bwystfil
Sy'n rheibio diniweidrwydd,
A'm cariodd unwaith
O wenwyn fy hunaniaeth,
I dywyllwch anghofio,
A melys flas hedoniaeth.

6. Fflat John, Fitzhamon Embankment.
Mae Aneurin yn edrych drwy'r ffenest.

Gavin Good view, nagyw e? Never thought I'd live in the centre, looking over the Millennium Stadium. Mae'n even better view ar international day. So many men. So little time.

Aneurin Pryd bydd e'n ôl?

Curiad.

Gavin Don't know. He's got shit to sell, hasn't he?

Curiad.

Aneurin Be' ddigwyddodd?

Gavin I don't want to talk about it.

Aneurin Sdim ishe ti fod ofn.

Gavin (*yn canu*) Paid â bod ofn, agor dy galon. Paid â bod ofn...

Aneurin Gavin...

Gavin (*yn sefyll, eisiau newid y sgwrs*) I read your novel. O'dd e'n excellent. I loved it bod y Gododdin i gyd yn gay. Ti'n such a pervert.

Aneurin It's not perverted. It's about love.

Gavin Ie. Right. Mind you, ges i bach o shock bod fi ynddo fe. *Greddf gŵr, oed gwas.* You said that to me.

Aneurin Mae e o'r Goddoddin.

Gavin Ie. But you said that about me once, didn't you?

Aneurin Nid ti o'dd e, Gavin.

Gavin If you say so.

Curiad.

Gavin Beth am y poem 'na o't ti'n ysgrifennu. Am gays. Did you ever put that in for the Eisteddfod?

Aneurin Na.

Gavin Pam?

Curiad.

Aneurin I'm still writing it.

Curiad.

Gavin Ti wedi sgwennu nofel arall?

Aneurin Ddim to… dwi'n addasu'r un gyntaf yn ffilm.

Gavin Ma hwnna'n exciting. Oes rhan i fi yno fe?

Saib.

Aneurin Nes di fyth mynd i drama school, naddo Gavin?

Curiad.

Gavin I didn't get in to fucking drama school, did I? Middle class twats. O'n i'n rhy ashamed dweud wrth Dada. After everything he did. But I did move to London. For a bit.

Curiad.

Gavin I never lost my phone. I lied. Had to block his number in the end. Couldn't bear seeing his name every time he phoned. But I still have it. Rhif e.

Curiad.

In fact, last time o'n i yn yr ysbyty, a nethon nhw gofyn fi am next of kin fi, nes i dweud Dada. Didn't know who else to say. Got a funny look mind. (*Mae'n chwerthin*) 'Wi ddim actually'n gwbod enw iawn fe.

Aneurin Beth am dy fam di?

Gavin What about her?

Aneurin Wel, hi yw next of kin ti.

Gavin Suppose; ond mae hi'n rhy fucked i fod any use to anyone now. Doesn't even know what day of the week it is.

Curiad.

Gavin Took my bastard dad back, didn't she?

Curiad.

Gavin So, os ti byth angen inspiration i nofel neu ffilm nesa ti, you know where I am. My life's one long fucking drama, I can tell you. Seriously. Mae bywyd fi fel fucking ffilm. Mae pethau just yn digwydd i fi. Like the first time time I had sex for arian yn Llundain. O'n i ar Grindr, a o'dd rhywun arno fe, heb face, not even a cock pic. And you know as well as I do that the ones without faces are usually dog ugly, neu os ni'n lwcus, handsome but married. So, o'n i'n croesi bysedd fi, achos his name was 'Generous for Younger', and I needed the arian. So wnes i hala neges i fe, a dath e nôl straight away gyda, 'I'm really not very pretty', ond o'dd e rhy ofn i hala llun. So, then I was kind of hooked because I was like, 'How ugly can ugly possibly be?' So, hales i neges nôl yn dweud, 'Don't worry, that's what you're paying me for, love'. Ac o'dd e'n teimlo'n... exciting. So wnes i drefnu cwrdd â fe ar bwys fflat fe, ar Tottenham Court Road, cause then I could always cerdded bant if it was too much. Ond pan weles i e, fuck me, he was ug-ly. Really disgusting ugly, like. Fel mixture rhwng the Baldy Man a'r Honey Monster. Ac o'dd e'n dew. Like sweaty tew. A walking jelly of sweaty, tew. Ac o'n i'n teimlo bach yn sick, i fod yn onest. So droies i rownd yn gloi a cerdded bant. But then I was like, 'Fuck! Fydd e'n gw'bod, fydd e'n gw'bod bod fi 'di cerdded bant achos he was dog-ugly. And I thought to myself, 'Gavin, 'dyw hwnna ddim yn neis. Ble mae manners ti?' O'dd Mam fi wastad yn bango mlaen ymbiti manners, before she went and lost hers. Mae'n human being. An ugly human being, yes, but a human being, all the same. So o'dd ishe fi treato fe fel human being. Just mynd lan i fe a gweud 'helô'. Maybe explain to him bod fi ddim 'di neud hwn o'r blaen ac o'n i wedi cael second thoughts. Gweud it was nice to meet him, and all that, ond bod fi eisiau mynd adre nawr, ti'n gwbod. Connect on a human level... Ond, pan es i lan i fe, he just gave me this look, fel o'dd e'n... ashamed neu rywbeth. 'I told you I wasn't pretty,' 'wedodd e. 'I imagine you want to walk away now, don't you?' And then I thought, 'OK, alla i either cerdded bant a brifo teimladau fe or I could just mynd lan i fflat fe, cau llygaid fi and let him fuck me; just take the money and run. It wouldn't cost me anything.' What would that cost me?

Curiad.

So, dyna beth wnes i. And so, nes i gorwedd ar y gwely, cau llygaid fi'n dynn, laid back a meddwl am Cymru. Ac ar ôl i fe gorffen I just wanted to get the hell out of there achos o'n i'n teimlo'n frwnt. And he didn't look happy either. He looked sadder than before. So, pan a'th e i hôl wallet fe, wnes i rhedeg mas o'r drws. Mor gloi as possible. I bolted.

Curiad.

(*yn chwerthin*)
I mean, what a fuck-up! I was the worst bloody prostitute in the world! I slept with the ugliest guy I've ever seen and didn't even charge him for it!

Curiad.

Good stori, nagyw e? Cael e. It's yours. (*curiad*) And this other time, I was fucking this straight dude in Canary Wharf and the condom broke, a wedodd e wrtha i, 'If you've got AIDS, you die,' a 'wedes i, 'No. If I've got AIDS, <u>you</u> die!' Fucking hilarious.

Curiad.

Gavin What you doing? Are you crying? Why are you crying? I don't want your pity. I'm telling you this because it's funny. It's fucking hilarious. Anyway, that was a long time ago nawr. Sai'n neud 'na rhagor. I left London. The streets aren't paved with gold. They're all cracked. And John saved me from the cracks.

Aneurin Ond mae'n bwrw ti, Gavin.

Gavin I lost his arian though, didn't I? (*curiad*) Mae'n OK. I'll make it up to him. I can always make it up to him.

Curiad.

Gavin Want some Tina?

Aneurin Beth?

Gavin I've got some here.

Aneurin Na. It's horrible stuff.

Gavin No, it's not. Mae'n totally lush. When I'm on it I could fuck a fridge. Best sex ever. Like fireworks in my soul. Go on, have some.

Aneurin Nid dyna'r ateb.

Gavin Ateb? I'm not looking for atebs. There are no atebs.

Aneurin S'o fe werth e.

Gavin Wrth gwrs bod e! It's like the feeling I used to get pan o'n i'n canu yn côr Mr Thomas. Ond times a million. It's <u>so</u> much better. Cause you aren't just singing. You <u>are</u> the song.

Aneurin It's a dark, dark song.

Gavin It's the best song ever, and you know it.

Curiad.

Come on. You know you want to.

Aneurin Na. Fi ffili.

Gavin Pam?

Curiad.

Aneurin I haven't touched drugs for five years.

Gavin Really?

Aneurin Really.

Gavin Huh.

Mae Gavin yn paratoi'r nodwydd.

Aneurin Well i fi fynd.

Gavin Suit yourself.

Aneurin Plîs gad John. He's bad news.

Gavin Nagyw. He's just in a bad mood heno. Mae'n usually neis i fi. He looks after me. Keeps me safe.

Aneurin That's not looking after, that's… ma ishe ti fod 'da rhywun sy'n dy barchu di.

Gavin (*yn canu*) *Give a little respect, to me…*

Aneurin Gavin!

Gavin Paid poeni, *I will survive, just as long as I know how to love I know I'll stay alive.*

Aneurin You can't just joke and sing your way out of everything. Ti'n haeddu cael dy barchu.

Gavin (*yn gas yn sydyn*) What? Like <u>you</u> parchud me?

Curiad.

Gavin You think you're better than me don't you? And Dada.

Aneurin Na ni / ddim.

Gavin I mean what grown man calls a young boy 'chi'? It's fucking ridiculous.

Aneurin Gavin…

Gavin It's true. S'o Dada'n galw ti'n 'chi' ydi e? And he fucking loves you. So pam fi'n 'chi' a ddim ti. Ydw i'n really that special? Course fi fucking ddim. S'o fe'n galw fi'n 'chi' achos mae'n parchu fi. Mae'n galw fi'n 'chi' cause he feels sorry for me!

Aneurin S'o hwnna'n wir.

Gavin I'm not one of the 'clan'…

Aneurin Wrth gwrs bod ti.

Gavin Bullshit! I'm not stupid. I know where I fit in and where I don't. There's the ones that get derbynd, and the ones who don't. There's winners and losers. That's just how it is.

Mae Gavin yn rhoi belt o amgylch ei fraich.

Aneurin Dwi'n mynd i fynd nawr, Gavin.

Curiad.

Gavin Give me a sec…

Gavin Cause 'wi'n nabod ti. Like really nabod. I know you want it. Alla i gweld e yn llyged ti…

Mae Gavin yn codi ei fraich. Mae'n chwsitrellu'r Crystal Meth (Tina). Mae'n bwrw fe'n syth. Mae'n cwympo nôl.

Gavin Fuck. Fuck. Fuck.

Mae Gavin yn eistedd ymlaen yn sydyn. Mae'n wyllt, yn orffwyll. Mae'n codi ac yn ceisio cusanu Aneurin.

Aneurin Paid, Gavin. Beth ti'n neud?

Gavin I won't charge, os dyna beth sy'n poeni ti.

Aneurin Gavin, stopa 'i.

Gavin Just have some, and fuck me.

Aneurin Gavin!

Gavin Plis. Fuck me.

Aneurin Na!

Gavin Plîs, Aneurin. I need to be fucked. Now.

Aneurin NA! I've got a partner.

Gavin So?

Aneurin I've got kids.

Curiad.

Gavin (*mewn sioc*) <u>You've</u> got kids? They trusted you with children?

Aneurin Sorry?

Gavin Oh, come on Aneurin! Don't pretend you're innocent! There are good gays and bad gays. And we're bad gays – you and me – and you know it. You're just conning yourself. But then again, that's what you do. You make shit up for a living, don't you?

Aneurin 'Drycha 'rôl dy hun, Gavin.

Mae Aneurin yn cychwyn cerdded at y drws.

Gavin Bechgyn?

Aneurin Beth?

Gavin Bechgyn sy' 'da ti?

Aneurin Um… un bachgen… a merch fach.

Gavin Well… at least there's one for you to fuck when he's older.

Dicter yn llygaid Gavin wrth iddo syllu ar Aneurin. Mae Aneurin yn syllu yn ôl am ennyd.

Yna mae'n troi ac yn gadael.

7. Fitzhamon Embankment.
Tu allan i fflat John, mae Aneurin yn crio.

Wedi peth amser, mae'n peidio.

Mae'n edrych i gyfeiriad y gynulleidfa. Yn herio? Yn gofyn am faddeuant?

Mae'n codi'r ffôn.

Golau i fyny ar Gareth

Gareth Aneurin? You alright?

Aneurin Where are you?

Gareth Eagle.

Aneurin Stay there. I'm on my way.

Mae'n rhoi'r ffôn i lawr.

8. Eagle, Charles Street.

Aneurin Shit. I shouldn't be here.

Gareth Don't over-think it.

Aneurin But…

Gareth I'll look after you. Like the old days. I'm sorry I said all those things. I didn't mean it. I didn't mean any of that stuff.

Aneurin I'm a terrible person…

Gareth No you're not. You're the best. My partner in crime.

Aneurin I ruin everything. Everyone I touch.

Gareth No you don't.

Aneurin (*yn sydyn*) Do you believe in the Gods, Gareth?

Gareth What?

Aneurin The *Gods*. Not the Christian God. The Gods of the universe. 'Cause I do. They used to speak to me, see.

Gareth What you talking about?

Aneurin The Gods used to speak to me. They'd make me feel invincible. They'd be in the trees. In the dark rooms. Everywhere. But… I can't hear them anymore. Yes, I love Dan;

God, I love him so much but… I just want to be boundless one more time. Like the Gods. Not constrained. I just want to not exist somehow. In this head. In this body. I just want to hear their stories…

Gareth Their stories?

Aneurin Because you were right. I'm nothing without my stories. You, Gareth, are a fucking truth-sayer.

Gareth Am I?

Aneurin Yes.

Gareth I've never been a truth-sayer before.

Aneurin And I need to encounter the truth once again. I need to visit the Gods again and…You'll look after me, won't you?

Gareth Course I will. I bloody love you, Aneurin. Friends should keep each other safe; that's what you said.

Aneurin Or maybe friends should give each other what they really want?

Curiad.

Gareth Are you saying…

Aneurin Yes.

Curiad.

Gareth Aneurin Wyn Roberts, would you like some coke?

Aneurin I bob dyn ei lwyth ei hun:
Rhyw bwysau i'w ddadlwytho,
Cyfeillion i'w tramgwyddo
Neu deulu i'w niweidio.
Ond heno,
Heno, hen blant bach,
Ry' ni i gyd yn blant i Dduw
Yn chwilio am faddeuant…

Aneurin (*wrth Gareth*) I thought you'd never ask.

Wrth i Gareth baratoi'r coke.

Dau gi bach yn mynd i'r coed
Esgid newydd ar bob troed,
Dau gi bach yn dwad adre…

Mae'r ddau yn cymryd coke.

Wedi colli mwy na'u sgidie…

9. Pulse, lawr llawr.
Sequence strobe a cherddoriaeth.
Dryswch hunllefus o sŵn a golau.

Aneurin Up, up, and away,
Hedfan fry
Uwchben llwybrau normalrwydd
Uwchben cloddiau'r maestrefi,
Bordorau destlus ar erddi chwant.
'Cause I want to get dirty
Yn nail y perthi.
Ymdrybaeddu mewn trythyllwch –
A gorwedd gyda'r Duwiau heno.

Un bang mawr i ddechrau'r bydysawd
Un bang mawr a dyma ni'n dod…
The universe is nothing
But the ejaculate of the Gods
Yn enhangu byth bythoedd
In a constant state of bliss.

Gareth Come on. Let's go to the sauna.

Aneurin Why the hell not?

Mae Aneurin yn newid i fewn i dywel.

Aneurin Because when all's dead and gone
A Theyrnas Unedig Celestia
Wedi'i darfod,
Beth fydd ar ôl

Ond clochdar jôcs budr ein hunaniaeth,
Gwaddol ein gwastraff –
Y jizz yn y jacuzzi
Yn ffrothian
Yn ddiddiwedd –
Os na wnaf i,
Y storîwr mawr,
Ddadlwytho 'i lwyth ar y byd.

Y Sauna.
Mae Rhys yn dod allan o'r Steam Room fel Winston Churchill.

Winston Churchill *But the price of greatness is responsibility.*

Aneurin Beth?

Winston Churchill *The price of greatness is responsibility. But where does the family start? It starts with a young man falling in love with a girl. No superior alternative has yet been found!*

Aneurin Rhys?

Rhys (*yn ei ôl fel Rhys*) Iyffach, mae'n dwym fan hyn. Mae 'nghrac i'n wys diferol.

Aneurin Who are you?

Rhys Hwp dy bants lan, Aneurin, / – ni'n mynd.

Mae Rhys yn diflannu. Daw Gareth i fewn.

Gareth Aneurin, where've you been?

Aneurin They're coming at me from all angles.

Gareth Like a bukkake party!

Aneurin Like a bukkake party!

Gareth God. I've missed you. I've missed you so much.

Aneurin Me too, Ga. / – I love you,

Mae Elinor yn ymddangos fel y wrach o'r Wizard of Oz.

Elinor They <u>love</u> you. You would be a fool not to... 'Da'r plantos bach 'na ar eu ffordd. Pa mor fucked up ma nhw? On a scale of one to ten? This much fucked up or THIS MUCH FUCKED UP...

Aneurin Sori?

Elinor This much fucked up or THIS MUCH FUCKED UP.

Aneurin Beth?

Elinor Ti... Ti'n hollol, hollol / fucked...

Mae Elinor yn diflannu. Mae'r gerddoriaeth yn newid: yn hudolus hiraethus.

Aneurin Fucked, man. I'm fucked.

Mae ei fam yn ymddangos fel Duwies (Dada wedi gwisgo fel Margaret Williams). Wrth ei hochr mae Gavin a Rhys wedi gwisgo fel angylion. Mae'r ddau yn canu gyda thelynau angylaidd.

Mam Dere at Mami.

Mam *(i alaw 'Mae 'Nghariad i'n Fenws')*
Fe gollaist dy bwp-dwll
Ar ben Hampstead Heath.
O pam a'th dy bwp-dwll
Ar goll yn y gwlith?
Dy gariad yw'r glana'
A'r gwynna'n y sir.
Nid canmol yr ydwyf
Ond dywedyd y gwir.

Mae'r gerddoriaeth yn parhau: emyn-dôn 'Rhys'.

Aneurin *(dan deimlad)* Mami.

Mam Dere 'ma, cariad.

Mae Aneurin yn mynd ati. Mae'n dringo i'w chôl fel babi.

Mam Ma ishe i ti fynd gytre nawr, bach.

Aneurin Fi ffili. Dwi ormod o gywilydd.

Mam Sdim ishe ti fod cywilydd.

Aneurin O's.

Curiad.

Aneurin Fi mor sori, Mami.

Mam Am beth?

Aneurin Wnes i fyth deall beth wnest ti i fi. Wnes i fyth diolch i ti.

Mam O, cariad. Nyge dy le di o'dd diolch i fi. Fi sy'n sori. Na wnes i ddeall… Beth o't ti. Pwy o't ti. Madde i fi…

Aneurin *Canys ni wyddant pa beth y maent yn ei wneuthur.*

Mam Ma ishe i ti ddeffro, bach. Cer gytre.

Aneurin Na.

Mam Ti'n Dad nawr.

Aneurin Mae eisiau mam ar blentyn.

Curiad.

Mam Na. Ma ishe cariad ar blentyn.

Mae Dan yn ymddangos mewn tuxedo wrth i'r côr ddechrau canu 'Mi Glywaf Dyner Lais' i'r alaw 'Gwahoddiad'.

Aneurin Dan?

Mae Aneurin yn cerdded tuag ato ac yn oedi, ond mae Dan yn edrych tu hwnt iddo, at fam Aneurin.

Mae Mam a Dan yn cerdded tuag at ei gilydd ac yn dechrau waltzio i'r gerddoriaeth, fel ennyd hyfryd o Strictly Come Dancing.

Mam (*stopio'n sydyn*) O! Ganon nhw hon yn y'n angladd i.

Aneurin Do.

Mam (*yn sylweddoli*) Mae'n amser i fi fynd nawr, 'ndyw hi?

Aneurin Ydi. 'Wi'n meddwl bod hi.

Mam 'Na ni, den. (*curiad*) Ta-ta, bach.

Maent yn dawnsio oddi ar y llwyfan.

Mae John yn ymddangos (chwaraeir gan yr actor sy'n chwarae rhan Gareth).

Aneurin (*yn emosiynol*) Gareth?

John Gareth? Who the fuck is Gareth? I'm John, mate.

Aneurin What? Where am I?

John You're fucked mate, that's where you are. We're in the sauna. Want some more crystal?

Aneurin No. No, I should go home. I've got a partner.

John So? So, 'ave I. Don't you want that nice feeling. Let me give you that nice feeling. Forget everything else. Forget, forget, forget…

Mae'n rhoi Crystal Meth i Aneurin. Mae Aneurin yn ei gymryd. Mae'r awch yn ei fwrw.

Mae John yn dechrau cusanu Aneurin.

Clywn blethiad o 'Tydi a Wnaeth y Wyrth, O Grist Fab Duw' a churiadau techno. Maent yn dechrau ffwcio wrth i'r gerddoriaeth adeiladu i uchafbwynt. Yna mae dynion eraill yn ymuno. Wrth iddynt ymuno yn y loddest gnawdol mae'r gerddoriaeth yn chwyddo. Yna mae Aneurin yn cael ei godi uwchben y gweddill mewn ennyd orgamsig (i gyd-fynd â'r 'Haleliwia' yn yr emyn).

Aneurin Dwi'n galw i fodolaeth
Mewn act o greadigaeth
Yr engyl mwyn a'u Duwiau.
Beli Mawr,
Manawydan,
Gwyn ap Nudd,
Bendigeidfran,
Nisien,
Efnisien,
Euroswydd,
Gofannon,
Gilfaethwy
A Culhwch
Mabon,
Matholwch,

Gwydion,
Taliesin –
Rhowch glod i
Aneurin!
Isn't he sexy!
Isn't he clever!
Isn't he wonderful!
Yes, thank you very much everybody,
Yes, I am!

Dynion *Gwŷr a aeth Gatraeth oedd ffraeth eu llu,*
Glasfedd eu hancwyn, a gwenwyn fu.
Trichant trwy beiriant yn catäu;
A gwedi elwch…

Mae popeth heblaw am Aneurin (sydd wedi'i wisgo unwaith eto)
yn diflannu'n sydyn, ac mae pob sŵn yn peidio.

10. Tŷ Aneurin a Dan.
Mae Aneurin yn wynebu Dan, yn hollol fucked.

Dylai'r tawlewch atseinio ar ôl yr olygfa ddiwethaf.

Ar ôl saib hir.

Aneurin Dwed rhywbeth. Plis.

Saib hir.

Aneurin Wneith e fyth ddigwydd 'to. Wir. Dyw e ddim yn golygu dim byd.

Dan Am rywbath sy' ddim yn golygu dim byd, mae o'n brifo ffwc o lot.

Curiad.

Dan Pum mlynedd, Aneurin. Pum mlynedd. Pam heno? Odda chdi ar dy ffor' adra.

Aneurin I told you I shouldn't have gone.

Dan Paid â beio fi!

Aneurin Sa'i yn, 'wi jyst yn…

Dan Mae 'na wastad ryw excuse.

Aneurin Plîs, 'wi isie iti ddeall…

Dan Deall? Dwi 'di gneud dim byd ond 'deall'! Deall bo chdi'n fregus. Bo gin ti ofn. Bo chdi'n galaru. Bo chdi'n addicted i ryw pan na'thon ni gyfarfod gynta. Deall bob tro oeddach chdi ar Grindr, bob tro oeddach chdi'n clywad y ping yna – neges gin rywun oeddach chdi'n gw'bod fuck all amdanyn nhw – ping bach o'dd yn deud *I love you, I love you, I love you...* Achos ti ishio i bawb garu chdi. Dy ddarllenwyr, dy adolygwyr, pobol ti'm hyd yn oed yn nabod. Ond 'dio byth yn ddigon. Ti'n methu cael digon o'r fucking applause. A dwi'n dallt pam! Achos nes di dyfu i fyny, yn fab i weinidog, yn casáu dy hun, yn meddwl bo bod yn gay yn wrong, a bod sex yn ffiaidd. So, bob tro oedda chdi'n dod, oedda chdi'n teimlo cywilydd, ac euogrwydd a self-loathing, nes, yn diwedd, dyna oedd yr unig beth oedd yn troi chdi ar. Ond ti'n gwbod be? Ti ddim mor unique â hynna. Ma rhan fwya o bobol hoyw'n delio efo hynna. A ddim jyst ni! Ma rhan fwyaf o bobol yn totally ffycd up am ryw. Yn addicted i porn neu'n cael dim o gwbwl neu...Dyna be 'di bod yn oedolyn! Ond mae bod yn oedolyn hefyd yn golygu cymryd cyfrifoldeb. Mae'n rhaid i chdi gymryd cyfrifoldeb rhywbryd. Achos mi wyt ti'n gyfrifol Amdana fi rŵan. FI. A nhw, fyny grisia; NI. Ti'n gyfrifol amdano ni. Ti methu cha'l hi both ways, neu threeways, neu ba bynnag orgiastic way ti'n licio. So stopa ddinistrio dy hun, Aneurin. Sdopia self-sabotajio'r cariad sy' gin ti am bo chdi'm yn meddwl bo' chdi'n haeddu cariad. Achos dwi 'di gneud dim byd ond caru chdi, dim byd ond applaudio chdi, dim byd ond sefyll o dy flaen di yn fregus, yn ffycin begian am dy gariad di, drosodd a throsodd a throsodd. So, pam ti'm yn gallu gweld hynna? Pam dwi'm yn gallu bod yn ddigon i chdi?

Aneurin Ti yn ddigon i fi. Mi wyt ti. 'Wi'n caru ti.

Dan A dyna sy mor anodd; dwi'n gw'bod bo' chdi. Ond mae cariad ar ei orau pan 'dio'm yn ddinistriol. Pan 'dio ddim yn brifo pobol. A'r broblem yn fama ydi, bob tro ti'n brifo chdi dy hun, ti'n brifo fi 'fyd. *But the cycle has got to stop.* A mond chdi sy'n medru 'neud hynna, achos dwi'm yn gwbod os fedrai 'neud hyn 'im mwy.

Aneurin Paid â ngadael i, plîs.

Dan Fuck, Aneurin, ti'n rhoi fi mewn ffwc o le anodd yn fan hyn, achos, really, ddylwn i ddweud wrth Jackie...

Aneurin Paid gweud wrth Jackie. Wna i newid. Dwi'n gaddo.

Dan Ond 'di hyn ddim jyst amdanan ni. A dyna pam dwi'n mynd i fynd fyny grisia a cusanu 'mhlant i, a deud 'bore da,' a deud bod Dadi wedi gorfod mynd i'r gwaith yn gynnar bore 'ma. A pan ddown ni lawr grisia, fyddi di wedi mynd. Ac wedyn fydda i'n mynd yn y car ac yn gyrru nhw i fyny'r gogledd i weld Nain. A fydda i'n aros yn fanno tan bo <u>fi</u> wedi gwneud penderfyniad. Tan bo <u>fi</u> wedi penderfynu os dwi isho chdi yma neu beidio pan ddo'i nôl.

11. Celestia.

Y noson honno.

Mae Rhys a Gareth yn helpu pacio'r bocsys olaf. Mae Dada'n tollti Siampên i bawb ac yn rhannu'r gwydrau. Yn sydyn, allan o focs, mae Gareth yn datuguddio Lafinia, doli sy'n arfer eistedd ar bapur tŷ bach. Mae ei law lan ei ffrog, fel pyped.

Gareth (*yn dynwared*) Hello, darlings!

Rhys Gareth. Paid.

Dada Tyn dy law bach brwnt mas o beisiau Lavina. Mae hi'n lady!

Gareth I'm sure she's had worse up there.

Dada Gareth!

Gareth Well you've been single for a very long time haven't you, Dada!

Mae Dada ond mae'n cnoi ei dafod rhag ymateb.

Daw Aneurin i mewn.

Dada Tan pryd o'ch chi gryts ifanc mas neithiwr, 'te?

Aneurin About six, wasn't it, Gar?

Gareth There abouts.

Dada Jiw, jiw, beth ddiawl o'ch chi'n neud tan wech y bore?

Actually, sa'i moyn gwbod. (*Mae'n rhoi gwydr i Aneurin*) 'Na biti bod Dan ffili bod yma 'fyd.

Aneurin Mae'n jyst rhy gynnar i ni gael baby-sitter.

Dada Ma fe'n dda i ti.

Aneurin Beth ti'n feddwl wrth 'ny?

Dada Wel, yn aros gytre 'to. Yn gadel i ti ddod mas. Mae'r boi na'n sant, 'ndyw e?

Curiad.

Rhys O's rhywbeth yn bod, Aneurin?

Aneurin Na.

Mae Dada'n codi ei wydr.

Dada Wel, i Celestia.

Pawb I Celestia!

Dada (*yn canu*) *Thank you for the gays,*
Those endless gays, those sacred gays you gave me…

Rhys (*yn ymuno*) *I'm thinking of the gays.*

Gareth (*yn ymuno*) *I won't forget a single gay believe me..*

Mae Aneurin yn gorffen ei ddiod yn sydyn.

Aneurin Un arall, ife?

Rhys Ti'n siŵr ti'n olreit?

Aneurin Ydw.

Mae ffôn Dada'n canu.

Dada Sori.

Mae Dada'n gwrthod yr alwad.

Rhys Pwy o'dd hwnna?

Dada Sai'n gwbod.

Gareth One of your gimps, is it Dada?

Dada I'll pretend I didn't hear that. (*Yn ochneidio*) Parting is such sweet sorrow.

Gareth Oh, God. It's like the final episode of *Friends* when they leave the flat forever.

Rhys Ooh, pa un ydw i?

Gareth/Dada Monica.

Rhys No, I'm not!

Gareth Yes, you are.

Rhys Alright, Joey.

Dada Olreit, olreit. Pidwch â dadle nawr.

Curiad.

Dada Gosh! All the memories.

Rhys Ie.

Aneurin And all the ghosts.

Curiad.

Dada Beth am i ni siarad am rywbeth arall, ife?

Curiad.

Rhys Wel, actually, ma 'da ni bach o newyddion…

Gareth Rhys…

Rhys We might as well?

Gareth But we've only just…

Rhys It's good news!

Gareth We agreed not to say anything…

Rhys But we've got Champagne. So, we might as well toast it.

Dada Beth?

Gareth Let's not tonight.

Aneurin Beth?

Rhys Wel…

Gareth Rhys, don't.

Rhys Oh, come on, Gareth, don't be a spoil-sport. Codwch eich gwydrau 'to achos… er, actually, dyle ni ddim really bod yn yfed yn ein cyflwr ni!

Dada (*Yn sylweddoli*) Na! Chi ddim!

Rhys Ydyn. Ni'n mynd i gael babi!

Curiad.

Aneurin You what?

Rhys Ni'n mynd i gael babi.

Aneurin Mabwysiadu?

Rhys Na. Na… Ni'n mynd i gael surrogate. O America.

Aneurin Of course you are.

Dada Ma Dada'n mynd i fod yn Dad-cu. Ma hwnna yn newyddion da!

Aneurin Ti'n Ddad-cu'n barod, Dada.

Dada Wel, 'wi'n gwbod 'na! 'Wi jyst yn meddwl... eto.

Aneurin Right.

Rhys Oes problem, Aneurin?

Aneurin Pwy mor hir 'chi 'di bod yn trafod hyn?

Rhys Am sbel really, ond heddi nethon ni benderfynu go iawn, 'ndfe, Gareth?

Aneurin O'n i ddim yn meddwl bod ti ishe plant?

Rhys I've changed my mind.

Aneurin Pam?

Rhys Beth ti'n meddwl 'pam'? Achos...

Aneurin You can.

Rhys Well, yes, we can.

Aneurin I mean, chi'n gallu fforddio fe, 'ndych chi?

Dada OK, Aneurin, sai'n / meddwl...

Aneurin Ond mae'n wir, nagyw e? Ma 'da chi dŷ digon o seis nawr, ma 'da chi ddigon o arian. Pam lai? Why not spend thousands of pounds on a surrogate? Why not go all the way to America to do it. In fact, pam smo chi'n cael llond tŷ o fabis? Populate your huge, fuck-off mansion in Penarth with as many babies as you want, because you can!

Dada Aneurin, 'wi'n meddwl bod ishe i ti calmo lawr...

Rhys Pam na elli di fod yn hapus drosto ni?

Gareth Cause he's jealous.

Aneurin Of course I'm not!

Rhys God. You are, aren't you? You're jealous of the life we now have.

Aneurin NO! You're jealous. 'Na'r unig reswm ti'n cael babi. Achos ti ffili godde bod fi actually wedi cwrdd â rhywun. That I don't need you anymore. A ti'n casáu e bod fi 'di dechre teulu. That I've actually done something <u>before</u> you. So, you had to get one up on me, didn't you? You had to go one better.

Rhys Mae popeth wastad gorfod bod amdanat ti, 'ndyw e?! Everything, everywhere, every time has to be all about you.

Dada Plîs. Plîs, pawb. Ddim heno. Ddim ar ein noson ola ni fan hyn. Ma heno fod yn sbesial. Ni'n ffrindiau. Ni'n...(dylwyth) *Nid yw Dada'n yngan y gair olaf hwn.*

Aneurin Come on! Why are we still pretending? Why in God's name are we still pretending? Bod ni'n unrhyw fath o ffrindiau...

Dada Achos ein bod ni!

Aneurin Ydyn ni? YDYN NI?! Come on! Cards on the table. Ma pawb 'di newid shwt gymaint, sdim byd 'da ni'n gyffredin rhagor, ond ni gyd rhy gutless i gyfaddef that we don't actually like each other anymore. Ni jyst yn cadw lan 'da'r... fucking charade!

Dada Smo fi'n esgus!

Aneurin Wel, dwi'n esgus! Ydw. Dwi 'di bod yn esgus ers ache, achos sai really'n lico'r un ohonoch chi rhagor, actually...

Dada Paid â gweud 'na.

Aneurin Achos pa fath o berson fydde'n ymateb yn y ffordd wnest di, Dada, y tro cynta i ni weud wrthot ti bod ni'n mynd i fabwysiadu. Beth ofynnest di i fi?

Dada Sai'n cofio beth ofynnes / i...

Aneurin A fyddan nhw'n siarad Cwmrâg? A fyddan nhw'n siarad Cwmrâg?! As if 'se ti ddim yn pisho ar blentyn o'dd yn ffili siarad Cymraeg 'sen nhw ar dân.

Dada 'Dyw hwnna jyst / ddim yn...

Aneurin Duw a'n gwaredo, os nagyn nhw'n siarad Iaith y Nefoedd! I mean, no wonder nagodd Gavin ishe dim byd i neud 'da ti.

Dada Beth?…

Aneurin No wonder he's gone the way he has, achos o't ti'n neud i fe deimlo bod e ddim digon da…

Ffôn Dada'n canu.

Dada Er mwyn dyn!

Mae'n troi'r ffôn bant.

Rhys Paid beio Dada. Os ti really ishe gwbod pwy sy'n gyfrifol am Gavin, then look no further. Ti'n fwy cyfrifol na neb!

Aneurin: Wrth gwrs bod fi. Ni gyd yn gyfrifol! Ni. I gyd. The Royal ni! Y <u>ni</u> mawr brenhinol.

Rhys Speak for your fucking self.

Aneurin Says the Conservative in sheep's clothing. My best fucking friend is now a Brexit voting Conservative. Shwt ddigwyddodd hwnna? Pryd newidest di?

Rhys Sa'i 'di newid!

Aneurin Wyt, mi wyt ti. Yn dawel fach. Heb i bobl sylwi. Ond 'na shwt ma nhw'n neud e. Perswadio pobl ar y tu fewn to do their dirty work ar eu rhan. Fel ysgrifennydd gwladol. Neu athro mewn ysgol Gymraeg. A 'na shwt ma nhw'n troi ni'n erbyn ein gilydd. Yn raddol bach. No wonder bod ni wastad yn dadle. Ymysg ein gilydd. They've made us hate ourselves and each other.

Rhys Sai'n casáu ti, Aneurin.

Aneurn Wel 'wi'n casáu ti. I hate you and all you stand for. And the irony is, actually, deep down, o't ti'n becso am Gavin yn fwy na neb, ac eto, you couldn't give a shit about pobl fel Gavin, because you want to keep Gareth's hard-earned money for yourself, because after all, you deserve it. You're worth it.

Rhys Ti'n fucking hypocrite, Aneurin. Ti'n gymaint o Conservative ag ydw i. Yn dy fyd bach, saff, cyfryngi Cymraeg. Yr unig wahanieth yw bod fi'n actually onest ymbiti fe.

Aneurin Ti'n iawn! Ti'n hollol iawn! 'Na beth 'wi'n 'weud. We're ALL fucking hypocrites. A fi, probably, yw'r gwaethaf ohono' ni i gyd. None of us deserve to be parents! Not you. Certainly not me. So, pam s'o ni, for once in our lives, jyst yn bod yn onest ymbiti fe? Is that too much to ask?… Ond, na! Chi mynd i gael babi! Chi ishe dod â babi mewn i'r byd 'ma. Seriously? Pan bod gymaint o blant mas 'na sydd angen help, angen cariad; ond o, na, chi moyn talu miloedd i gael un that's yours. Eich cig a'ch gwaed. Yours. So you can see what your little mini-mess might look like?

Gareth We don't need to defend ourselves. Straight people don't have to defend themselves when they have children!
Aneurin Straight people don't have to pay to conceive!

Rhys Some do, actually.

Aneurin Oh fuck off, you know what I mean!

Rhys Listen to yourself. Ti'n gweud we don't have a right to have a child <u>BECAUSE</u> we're gay. Ti'n fucking homophobic, Aneurin. Ti ddim jyst yn casáu ni. Ti'n casáu dy hunan 'fyd!

Aneurin Na. I've never liked myself quite as much as I do right now, actually. But, go on, replicate. Leave your legacy. Leave your mark on the world. Even if you fuck that child up in the process by bringing it up in a world of mendacity and lies...

Rhys What lies?

Aneurin You're having an open relationship!

Rhys (*wrth Gareth*) Wedest di wrtho fe?

Aneurin So paid siarad 'da fi am fod yn onest, when you're too ashamed to admit that your relationship's completely on the rocks a'r unig ffordd ti'n gallu cadw Gareth yw drwy rhoi fucking open relationship iddo fe, because you're terrified that one day he'll wake up and smell the coffee and realise he could have anyone he wants.

Gareth Aneurin. Stop it. You really don't know what you're talking about.

Aneurin And you think that having a baby's going to solve that?! You're just going to perpetuate the damage! You're just going to pass it on to the next generation and...

Rhys No one will fuck up their children anymore than you will!

Aneurin And thus, the truth was spoken! So thank fuck, I won't even get the chance, achos mae Dan 'di ngadael i, a 'di mynd â'r plant gyda 'fe.

Curiad.

Does neb cweit yn gwbod beth i'w wneud, beth i'w ddweud.

Mae landline Dada'n canu. Pob caniad yn ychwanegu i'r boen.

O'r diwedd, mae Dada'n ateb y ffôn.

Dada Helô... (*yn ymosodol*) Sorry, who is this?... (*meddalu*) Oh... Yes? (*wedi drysu*) Yes?... Oh, I see... Oh! Right... Oh, good God! Is he alright? Yes, yes, of course. I'll be there as soon as possible.

Mae'n rhoi'r ffôn lawr.

Rhys Dada?

Mae Dada'n edrych arnynt mewn penbleth.

Gareth What's happened?

Dada Gavin. Ma fe yn yr ysbyty.

12. Ysbyty.

Mae Dada yn eistedd wrth wely Gavin.

Mae Gavin yn gleisiau i gyd. Mae ei fraich mewn cast a bandage dros ei lygad.

Dada Ma ishe ni fynd i'r heddlu.

Gavin Na. Fi'n scared, Dada.

Dada Ond ddylech / chi...

Gavin Sai moyn mynd i'r heddlu! Plîs, Dada. Paid neud fi. Sai moyn...

Dada Olreit. Olreit.

Curiad.

Gavin Fi'n caru fe.

Dada Chi ddim...

Gavin Fi yn... like when it's good. It's so amazing. It's everything I ever wanted; mae'n brifo faint fi'n caru fe.

Dada Ond ma fe'n brifo chi hefyd.

Gavin But, he's been hurt. He's been really hurt. O'dd Dad e'n bastard i fe. Like proper fucking bastard.

Dada O'dd eich tad chi'n bastard i chi.

Gavin Ie, so fi'n deall!

Dada Na, Gavin. 'Dyw e ddim yn iawn. Nid eich dyletswydd chi yw...

Gavin Honestly. It's worth it. For the love.

Dada Nyge cariad yw e.

Gavin It is love. It's passionate.

Dada Mae'n ddinistriol.

Gavin It's sexy.

Dada Mae'n boenus.

Gavin Love is poenus.

Dada Nagyw. 'Dyw cariad go iawn ddim yn boenus. Gwbod eich bod chi'n saff. Dyna beth yw cariad.

Curiad.

Dada Myth yw e bod rhaid chi ddiodde i garu, Gavin.

Curiad.

Gavin Mae'n teimlo fel cariad.

Dada Wel, os mae'n teimlo fel cariad, weden i bo chi heb brofi cariad go iawn.

Gavin But, what if I never do?

Dadan Chi dal yn ifanc. Fe wnewch chi.

Gavin How do you know that?

Dada Achos chi'n fachgen cwbl hyfryd, Gavin. Chi'n haeddu cariad.

Gavin But, you're the nicest person fi'n gwbod, and you haven't found it, have you?

Curiad.

Dada Na. Na. Dwi ddim, ond… dwi'n hapus. Does dim rhaid cael partner i brofi cariad.

Gavin I think that's what single people say to make themselves feel better about the world.

Dada Ond mae'n wir. Dwi 'di cael sawl cynnig, and I have a very healthy sex life. Dwi'n sengl achos bod fi'n dewis bod.

Gavin Ti jyst yn gweud 'ny. I think you have to have a partner i fod yn hapus.

Dada A dyna beth ma' pobl yn ei ddweud sy'n aros mewn perthynas sydd jyst ddim yn gwitho.

Curiad.

Gavin Fi'n sori am yr arian. Am beidio ateb y ffôn. O'n i jyst mor embarrassed.

Dada O'dd dim ishe chi fod yn embarrassed.

Gavin A gobeithio ti ddim yn mindo ti oedd next of kin fi. Didn't know who else to say. (*curiad*) Beth y̲w̲ enw iawn ti?

Dada That's for me to know and you to find out.

Gavin Alright, Mrs Madrigal.

Dada Sut y'ch chi'n gwbod am Mrs Madrigal; smo chi'n ddigon hen?

Gavin Netflix. (*curiad*) Anyway. Sorry. I let you down.

Dada Na, na. Fi sy' 'di gadael chi i lawr...

Gavin Beth? Na! Never!

Dada Do. Ni gyd wedi. 'Wi'n edrych ar chi gryts ifanc heddi ac yn meddwl ar un llaw, ni 'di dod yn bell. Chi'n gallu priodi, mabwysiadu... popeth nes i frwydro amdano fe pan o'n i̲'̲n̲ ifanc... ond ar y llaw arall, chi lot wa'th off... cwpwl o negeseuon ar Grindr a sydyn reit chi mewn rhyw loddest wyllt yn chwistrellu Crystal Meth. Falle'n bod ni wedi codi'n falch o'r tywyllwch, o orffennol traumatic; ond ni dal heb ddelio 'da fe. Ni dala'n ffindio hi'n anodd i garu. Chi gryts dal mor ofnus a bregus ag o'n ninnau, ond mae'r cyffuriau, y porn, y dechnoleg yn fwy peryglus fyth. Storom berffaith.

A chi'n lleddfu'r boen 'da choctel o gyffuriau a rhyw: yn rhoi arfwisg amdanoch i ymladd mewn brwydr na wnewch chi fyth ei hennill. Ai dyma'ch etifeddiaeth?

Curiad.

Gavin Nyge bai ti yw e, Dada.

Curiad.

Dada Fuoch chi'n saff, Gavin?

Curiad.

Dada Gavin?

Mae Gavin yn ysgwyd ei ben.

Gavin Ddim bob amser.

Dada OK. Wel, wna i drefnu bod chi'n cael prawf / a...

Gavin 'Wi ofn.

Dada Sdim ishe bod ofn.

Gavin Ond beth os fi'n dost?

Dada Wel, po gynted ni'n ffindo mas, cloia'n y byd allwn ni ddelio 'da fe.

Gavin Ond sai ishe marw.

Dada Good God, smo chi'n mynd i farw! Wel, mi fyddwch chi'n y pendraw, fel ni / i gyd ond…

Gavin How do you know that?

Dada O, Gavin bach.

Curiad.

'Wi 'di bod yn 'dost' ers o'n i'n ddau-ddeg pump. A 'wi'n olreit, 'ndyf fi?

Curiad.

Dada We all have our pasts, cariad bach. We all have our pasts.

Curiad.

Gavin Is Aneurin..?

Dada 'Dyw Aneurin ddim yn gwbod. Sdim un o' nhw'n gwbod.

Gavin So, ti 'di bod yn dweud celwydd?

Dada Celwydd? Nagw i. Mae gan bob rhiant ei gyfrinach wrth ei blant, yn does e? Nid ei jobyn nhw yw poeni amdana i. A phan ddes i o Lundain, nôl i Gaerdydd, o'n i 'di bod yn byw 'da HIV am flynydde. 'Di colli ffrindiau annwyl. 'Di bod i'r tywyllwch a 'di dod nôl. Achos o'n i'n lwcus. O'n i'n ddawnsiwr, o'n i'n heini. Wedyn o'dd gwell meddyginiaeth i gael, pan o'n i angen i. So, erbyn i fi gwrdd â'r bois... wel, o'dd e'n rhan ohona i, ond nyge 'na pwy o'n i. A nawr mae'n undetectable, ta beth. 'Wi ffili paso fe mla'n. Pa fusnes yw e i neb arall?

Curiad.

Gavin <u>Fi'n</u> dau ddeg pump.

Dada A ma'ch bywyd i gyd o'ch bla'n, Gavin bach. Dewch, cariad. Cerwch i gysgu, ife? Fydd popeth yn well yn y bore.

Gavin Aros gyda fi.

Dada Wrth gwrs 'ny.

Curiad.

Gavin Canu i fi.

Dada Canu?

Gavin Ie. I'd like that. I'd like that very much.

Dada (*yn canu*) *Huna blentyn ar fy mynwes,*
Clyd a chynnes ydyw hon...

Mae'r côr yn ymuno.

Breichiau Mam sy' dynn amdanat,
Cariad mam sy dan fy mron.
Ni chaiff dim amharu'th gyntun –

Gavin You what?!

Dada Mae'n golygu napyn fach!

Gavin If you say so!

Mae'r côr yn parhau i ganu.

Dada Pan ddewch chi mas, ni'n mynd at yr heddlu, Gavin. A wedyn chi'n mynd i ddod gyda fi. I Church Village. Gewch chi ddod i fyw ata i. Nes i chi sorto'ch hunan mas. Neu mor hir a liciech chi. Beth chi'n weud?

Curiad.

Gavin Fi'n caru ti hefyd, Dada.

13. Balconi fflat Gareth a Rhys yn Penarth Heights.

Gareth I can't stop thinking about Gavin.

Rhys I know.

Gareth Puts things into perspective, doesn't it?

Rhys I never want to see Aneurin again. He's such a twat.

Gareth You still gave the twat a lift home from the hospital though, didn't you?

Curiad.

Rhys He's half right, isn't he?

Gareth Why do you say that?

Rhys Come on. Ydyn ni <u>wir</u> ishe babi?

Gareth Yes. We do. <u>I</u> do.

Curiad.

Gareth Don't we?

Rhys We've just agreed to an open relationship, Gareth. I'm not sure if that's…

Gareth We don't have to do things the way they've been done for centuries. That's what you said.

Rhys Maybe they've been done that way for centuries because it's right.

Gareth What? Electrocuting us, stoning us to death...

Rhys I just think...

Gareth And if you don't want an open relationship, you shouldn't have agreed to it.

Rhys But, relationships are made up of compromises, aren't they? And if that's what I have to do to keep hold of you, then it's a sacrifice I'm willing to make.

Gareth But that isn't what you have to do to keep hold of me, Rhys.

Rhys What?

Gareth That isn't what you need to do.

Curiad.

Gareth You just need to be a bit... nicer to me sometimes.

Rhys What do you mean?

Gareth You just... tell me off. All the time. For everything. For every tiny little thing I do and... I feel stupid. I feel so, so stupid. You actually tell me I'm stupid!

Curiad.

Gareth Why do you need to be so controlling?

Rhys I'm not controlling, Gareth.

Gareth yn codi ei ael.

Rhys Well, you would be too, if you were constantly worrying about losing the love of your life to somebody else /and…

Gareth Like who?

Rhys I don't know? Someone in Belarus?

Curiad.

Gareth I don't even know where Belarus is.

Curiad.

Rhys The coke, the steroids, they have to stop, Gareth.

Gareth I know.

Rhys It really has to stop. You don't need them.

Curiad.

You just need me to be… a bit nicer.

Curiad.

Gareth You know. Last night. I went to the sauna.

Rhys It's alright. You don't have to say.

Gareth And I sat in the jacuzzi, and there were all of these men in there with me. Hot men. Like really hot. And they started having sex with each other. But I didn't. I just sat there. And watched them for a bit. And then I started to cry. So, I got out. Got dressed. And came home.

Mae Rhys yn dechrau ypsetio.

Gareth What's wrong? I thought that would make you happy.

Rhys But I went home and went on Grindr and had sex with a carpenter called Steve!

Gareth Oh! *(curiad)* Oh. Well, that's OK. It's what we agreed. It doesn't matter. It's…

Rhys It does matter. It does matter, Gareth, because I actually really liked it. I haven't had sex like that in ages and I can't stop thinking about it. I've been thinking about it all day and I want to do it again. In fact, I've organised to do it again – tomorrow morning, when you're in the gym.

Curiad.

Gareth OK. Right, well... shit! Do you want to finish with me?

Rhys No! Of coure I don't want to finish with you. It's just. Well, I just quite like it that we're in an open relationship at the moment. I always thought one would want it more than the other but...

Curiad.

Rhys Oh, shit. Maybe one of us does want it more than the other?

Curiad.

Gareth Well, relationships are made up of compromises so...

Curiad.

Gareth But I suppose bringing a baby into this is out of the question.

Curiad.

Rhys I don't know. Is it?

Curiad.

Gareth We can't, can we?

Rhys Who says?

Gareth *The Daily Mail?*

Rhys They'd be delighted. Pages of material!

Curiad.

Gareth But it's going to cost a lot of money…

Rhys I know but…

Gareth It makes me feel a bit…

Rhys No. He's made you feel a bit…

Curiad.

Rhys We're not bad people, Gareth. And I honestly think that those who judge people who have money are actually, deep-down, wishing they had a bit more themselves.

Gareth (*hanner jocan, yn gwybod mai ystrydeb yw hi*) But money can't buy you happiness.

Rhys No, but having a bit of money doesn't mean you can't be happy too.

Curiad.

Gareth Maybe we should adopt, though.

Rhys No. Fuck that. Straight people don't have to think twice before procreating, do they? Besides. Your babies are going to be so bloody cute.

Curiad.

Gareth It's very complicated though, isn't it?

Rhys Yes.

Curiad.

Rhys But you know what? If we can negotiate this. We're going to fucking smash parenting.

Maent yn edrych allan.

Rhys Everything's changed so much since we first came here.

Gareth Cardiff?

Rhys No. (*curiad*) Us.

14. Lolfa Dan ac Aneurin.

Mae Aneurin yn cerdded i fewn yn araf. Mae'r distawrwydd yn ei lethu. Ond yn sydyn – ac yn annisgwyl iddo – mae'n clywed llais Dan dros y baby monitor.

Dan (*yn canu, ail hanner y pennill*)
 ...Huna blentyn, nid oes yma
Ddim i roddi i ti fraw;
Gwena'n dawel yn fy mynwes
Ar yr engyl gwynion draw.

Mae Aneurin dan deimlad ar ôl gwrando ar y gân.

Daw Dan i fewn.

Aneurin O'n i'n meddwl bod ti 'di mynd at dy fam?

Dan Es i ddim.

Aneurin Pam?

Dan Dwi'm yn gwbod. Achos dyma pryd sa'r rhan fwyaf o bobol yn deud, 'Dos! Rhed am dy fywyd.' Ond...

Aneurin Beth?

Dan Ers pryd 'da ni 'di bod 'tha rhan fwyaf o bobl?

Curiad.

Dan Ti'n gwbod be dwi 'di bod yn bendroni drwy'r dydd?

Be 'di'r gwahaniaeth rhyngtha ni a nhw? Eu rhieni gwaed nhw. Gynnon ni gyd ein gwendidau. Yr unig wir wahaniaeth rhyngtha ni a nhw ydi bo' ni 'di cael head start mewn bywyd. A mae'n amser i chdi sylweddoli hynna. Ti'n lwcus. Ti'n freintiedig, Aneurin... A mae gynno ni'n gilydd. Dyna pam 'na mond unwaith wyt ti 'di syrthio off y wagan. Unwaith mewn pum mlynedd. Dyna pam wnei di fyth frifo ein plant ni. Dyna pam dwi wirioneddol yn credu bo' gin ti'r gallu i fod yn Dad da. Achos gest di dy garu, gin fam a thad, na'th – ia, ella ffwcio chdi fyny chydig bach hefyd, ond – o leia na'thon nhw ddangos i chdi be' 'di cariad. Fel dwi'n dangos i chdi be 'di cariad – rŵan. Drwy fod yma. Yn sefyll o dy flaen di. Yn maddau.

Aneurin O, Dan...

Dan Ond ma' unwaith yn ddigon. A mae fyny i chdi os ma hwn 'di'r tro ola. Achos ti'm yn gallu fficsio petha efo geiria tro 'ma, Aneurin. Ti jyst yn goro' neud o. Cym'a gyfirfoldeb. Profa dy gariad.

Curiad.

Dan So...

Aneurin So...

Curiad.

Aneurin I've just been a total cunt to my friends.

Curiad.

Aneurin Again.

Curiad.

Aneurin And so… ti'n iawn.

Curiad.

Aneurin Ond y peth yw, sai'n meddwl alla i gymryd cyfrifoldeb…

Dan Oh! OK. Wow!

Aneurin Nes i fi ddweud yr holl wir wrthot ti.

Curiad.

Dan Be'?

Curiad.

Dan Be' ti 'di neud, Aneurin?

Curiad.

Dan Beth 'ti 'di neud rŵan?

Aneurin I wasn't being fucked on Hampstead Heath.

Curiad.

Dan Be'?

Aneurin I wasn't being fucked on Hampstead Heath. Pan farwodd Mami.

Dan Be' ddiawl sgin hyn i neud 'fo unrhyw beth? Pam ffwc ti'n dweud hyn wrtha fi rŵan?

Aneurin (*yn syml*) I was raped.

Curiad.

Dan Be'?

Aneurin I was raped.

Curiad.

Dan Oh, God. Aneurin.

Aneurin Mewn perth. Ar bwys y ponds. Gan ddyn o'dd yn gwynto o chlorine. A 'wi'n cofio meddwl, 'Gobitho bod hwnna'n golygu bod e'n lân.' Ond 'dwi erio'd 'di gweud 'na wrth neb, achos... wel o'n i'n meddwl bod e'n... I was kind of asking for it, wasn't I? And I've always thought you had to suffer to have a story worth telling. And it was a great story. 'Guess ble o'n i when my mother died?!' Hilarious! 'God, that Aneurin. He's so fucking hilarious.' Hyd yn o'd fel o'dd e'n digwydd, I was writing the anecdote of it in my head. Unig broblem o'dd, I was then too ashamed to tell it.

Curiad.

Aneurin We can joke and sing our way out of anything, right?

Curiad.

Aneurin A sai'n gweud hwn wrthot ti fel rhyw fath o emotional blackmail. OK, well, maybe, a little bit…

Dan Ti'n neud o eto. Ti'n neud jôc o'r peth. S'im raid i chdi neud jôc o'r peth.

Curiad.

Aneurin Ond mae e'n gymleth. So I'm not telling you this as an excuse for all my behaviour: 'Oh, Aneurin was raped, so, let's forgive him everything then'… Achos ma fe lot, lot fwy cymhleth 'na 'ny. A sai'n gweud mai 'mai i o'dd e chwaith, ond… y gwir yw, ni'n 'nafu'n hunain: ni'n 'nafu'n gilydd. A ma ishe fe stopo rhywle. Rhywsut. A falle. Dyma'r cam cyntaf. Fi'n gweud wrthot ti. Achos… Look. I know I've fucked up. 'Wi'n gwbod. Ond, y pwynt yw… os alla i fod yn onest, ac os allen ni wastad fod yn onest, a ma hwnna'n golygu gweud popeth wrth Jackie… ma ishe iddi hi wbod bod fi 'di bod yn stryglan a bod ishe help arna i, arno' ni, if we're going to make this work… Ma rhaid ni fod yn onest. Gyda pawb. (*hanner-chwerthin*) Y queer yn erbyn y byd. So, when we fuck up again, we can find a way to repair, a maddau, a charu, 'cause God, Dan, 'wi'n caru ti. 'Wi'n caru ti shwt gymaint. And if we can model all of that, a goroesi. A dangos i'n plant anhygoel ni beth yw cariad. Now that would be a story worth telling.

Mae Aneurin yn troi i gyfeiriad y gynulleidfa.

Aneurin Because when all's said and done
A theyrnas unedig Celestia wedi darfod
Beth fydd ar ôl ond...
Ffydd?
Gobaith?...

Curiad.

Aeth Gavin at Dada
I loches Church Village
I gychwyn taith ei adferiad.
Rhys fwynhaodd gwmni eraill
Ond cwtshes Gareth a garai.
A fi,
Rhodiais
Lwybrau heriol gonestrwydd
Gydag enaid hoff, gytûn,
A meddwi yn y maddau,
Am ein bod ni oll i gyd
Yn engyl ac yn ddynion,
Yn dal i godi;
Achos do,
Er i ni droi
Iaith eich moesau
Yn iaith ein cywilydd ni,
Tawelu mae lleisiau'n brad,
Ac o'r cywilydd...
Daeth cariad.

Cerddoriaeth: 'Gorwedd Gyda'i Nerth' gan Eden (mae'r côr yn canu 'Wwws' ar gychwyn y gân cyn tawelu wrth i'r gerddoriaeth barhau).

15.

I gyfeiliant pennill y gân (offerynnol, h.y. heb gôr nawr), mae Dan yn ymddangos mewn siwt briodas ysblennydd ac yn ymuno ag Aneurin. Mae Aneurin hefyd yn newid i siwt briodas.

Capel Tabernacl.

Wrth i'r gerddoriaeth gyrraedd 'y bont'...

Dada Drycha arnyn nhw.

Gareth Are you crying, Dada?

Dada Trapped wind.

Rhys Fi ffili credu bod yr un o'dd fwya'n erbyn yr heteronormative, nawr yn priodi.

Gareth But that's how Dan knows he really means it.

Dada Actions speak louder than words...

Wrth i'r côr ganu'r gytgan, maent yn gosod modrwy ar fysedd ei gilydd. Mae'r gerddoriaeth yn cyrraedd ail hanner y gytgan a'r côr yn canu 'Wwwww' dros weddill yr ymson isod.

Aneurin Achos, ydw,
(*wrth Dan*)
Dwi'n gwybod dy werth,
Nabod dy gryfder,
Gorwedd gyda'th nerth,

Gweld dy olau yn glir,
Cyffwrdd â grym yr hyn sy'n gariad pur.

Maent yn cusanu i'r 'bont' rhwng y corws a'r pennill.

Rhys (*Wrth Dada*) Was that Eden?

Dada Adda ac Efan yn yr ardd! Tissue, Gareth?

Gareth It's his Dad. Marrying them. It's bloody breaking me.

Aneurin Yn y brecawast priodas,
Yng ngwesty Dewi Sant,
Synnodd Dad bawb wrth sefyll
A chyhoeddi iddo gredu
Mai camgymeriad fyddai mabwysiadu,
A bydden i'n dad ofnadw…
'Ond o'n i'n wrong, Aneurin,' medde fe,
'On i'n rong.
Ti'n blydi briliant.'

A chododd ei wydr,
Yn gyntaf i Sandra, Mam Dan,
'Am esgor ar Sant,'
Yn ail, i Mami,
'Bydde hi wedi dwli ar heddi,'
Ac yn olaf
'I ni –
Ei deulu dedwydd.'

Wrth i'r gerddoriaeth gyrraedd y gytgan eto, mae Aneurin, Dada, Dan, Rhys a Gareth yn dod at ei gilydd.

Dada Chi'n gwbod pam ma' dynion hoyw yn gneud rhieni ardderchog, 'ndych chi? Unwaith y'ch chi 'di gweud wrth eich mam neu'ch tad bod chi'n lico fe lan y pwp-dwll, fydd dim byd mae'ch plentyn yn neud yn ych synnu chi.

Aneurin Say that to me again in ten years time a nhw'n teenagers! Talking of which... (*mae'n dechrau gadael*)

Dan Ma nhw 'di cytuno i'r adoption order. 'Da ni'n deulu – yn swyddogol.

Gareth That's amazing.

Dan No turning back now.

Aneurin (*wrth Rhys wrth adael*) Just like Brexit.

Rhys Wnes i ddim voto am Brexit, Aneurin, you idiot. Ond da iawn ti...

Aneurin Am beth?

Rhys Cause you thought I did, and still had me as your best man. There's tolerance for you.

Mae Aneurin yn gadael.

Gareth Did he finish that film?

Dan Na. Ddudodd o wrth Elinor lle i stwffo hi.

Gareth No way.

Dan Do, a waltzio allan drw'r drws fatha Zsa Zsa Gabor. Ac oedd gin hi'r cheek i weiddi ar ei ôl, 'I think you're making a mistake! Meddylia am dy blant'. A ddudodd o…

Wrth i'r gerddoriaeth newid cywair…

Aneuirn Dwi <u>yn</u> meddwl am fy mhlant.

Mae Aneurin yn cerdded i fewn yn cario Chanel.
Mae Gavin yn dod i fewn yn dala llaw Kayden.

Rhys (*yn edrych ar y plant*) Ma nhw 'di dechre edrych fel chi!

Aneurin It's a thing, apparently.

Gareth Like dogs and their owners?

Rhys Gareth!

Gareth I'm joking, mun! (*yn chwareus*) Don't take things so seriously…

Rhys Seriously? *Moi? Au Contraire…*

Mae'n tynnu meicroffon allan.

(*yn canu*) *Haul a chysgod ddoe…*

Aneurin Beth ti'n neud?!

Rhys (*yn canu*) / *A luniodd ein heddiw ni…*

Aneurin Beth yw hwn?

Gavin Mae Ddoe Wedi Mynd. Robat Arwyn. It's a classic. (*yn canu i feicroffon arall*) *Poen a llawenydd…*

Aneurin Ddim ti fyd!

Gavin *Gothrwm rhyfel a newyn…*

Aneurin O't ti'n gwbod am hyn?

Dan Nagon. Dim byd.

Gareth (*yn canu*) *Fedrwn ni mo'i newid…*

Aneurin Oh, my God, it's a miracle!

+ **Dada** *Dyna oedd y drefn…*

+ **Gavin** *Ni yw ffrwyth y gwanwyn pell…*

Aneurin Triawd y Buarth myn uffarn i!

+ **Rhys a'r Côr** *Ni yw y gobaith am ddyfodol gwell.*

Mae Côr y Cwm yn dod ymlaen a llenwi'r llwyfan (yr ieuengaf yn gyntaf) yn canu'r gytgan, tra bod Gavin a Dada yn canu 'I Am What I Am'.

Aneurin (*yn gweld y côr*) Oh, my God. This is ridiculous!

Rhys They don't call me Mr Arweinydd Côr y Cwm for nothing...

Aneurin Ti mor bloody cheesy. Trysto chi i droi hwn mewn i musical!

Rhys Couldn't resist. Paid esgus s'mo ti'n lico fe.

Aneurin Well, if you can't beat them...
(*yn dwyn meicroffôn Rhys, yn canu*) Mae fory heb ei gychwyn,
Mae'r dyfodol yn ein dwylo ni.

Mae'r gerddoriaeth yn newid i bont 'Gorwedd Gyda'i Nerth'.

Gavin Oh, my God, that <u>is</u> a miracle.

Dada So, be ti'n mynd i sgrifennu nesa, Aneurin? Musical?!

Gavin I better be in it!

Aneurin Musical? Are you kidding me? Ma loads 'da fi i sgwennu amdano fe nawr bo' fi'n Dad.

Gareth Can't believe we're meeting the surrogate next week.

Rhys Drycha arnom ni. We're multiplying left right and centre.

Gareth Where will it all end?

Dada Duw a ŵyr.

Curiad.

Ond ni yn lwcus, yndyn ni?

Mae Gareth yn popio potel o Bollinger. Maent yn tywallt gwydrau o Bollinger.

Mae'r gân yn newid i gyfuniad o 'Mae Ddoe Wedi Mynd' gan Robat Arwyn, 'Gorwedd Gyda'i Nerth' ac 'I Am What I Am'. Mae'r gerddoriaeth yn cyrraedd uchafbwynt, yna'n parhau'n dawel.

Aneurin A ninnau'n codi'n gwydrau,
Wrth i'r haul fachlud dros y Bae,
A gorfoleddu,
Yn noddfa ein maddeuant.
Ydyn,
Mae'r Duwiau yn ein mysg ni heno.
Yn y rhai sydd wedi mynd,
Y rhai sydd yma o hyd,
A'r rhai sydd eto i ddod.

Clywn ychydig o felodi 'Gwahoddiad' – 'Mi glywaf dynes lais yn galw arnaf i' – cyn i'r gerddoriaeth ddistewi.

Y Diwedd